# *Grandes Aventuras*

# ANTHONY HOPE

Novelista inglés. Nació en Clapton, en 1863, hijo de un "schoolmaster" eclesiástico, educado en Malborough y Balliol, se abrió paso en la vida con tres oportunidades: la política, el derecho y la literatura. En menos de seis años se había convertido en un abogado de porvenir, se había presentado como candidato parlamentario liberal y había publicado cinco novelas.
Pero en 1894 alcanzó fama instantánea con "El Prisionero de Zenda", la clásica novela de aventuras románticas localizada en Ruritania, y después, en igual año, con Dolly Dialogues, sátira de delicado ingenio acerca de la "season" londinense. De las numerosas novelas que siguieron, las más conocidas son Rupert of Henzau (1898), Sophy of Kravonia (1906) y the Great Miss Driver (1908).
El Prisionero de Zenda fue adaptada al teatro en 1896, para el que después Hope escribió otros melodramas de acción al estilo de la época. Ingresó en el Ministerio de Información en 1914, le fue otorgado el título de Sir en 1918 y se retiró a Surrey a vivir el papel de "Squire".
Su obra fue enormemente popular, adaptada y copiada en otros medios, especialmente en cine y televisión, donde la acción es más importante que el personaje.
Murió en 1933.

ANTHONY HOPE

# EL PRISIONERO DE ZENDA

Título original: THE PRISONER OF ZENDA
Traducción: Ma. Teresa Segur Giralt



Traducción cedida por: Editorial Bruguera, S.A.

ISBN: 84-8280-700-5 (Obra completa)
ISBN: 84-8280-731-5

Impreso en Colombia
Printed in Colombia.

# 1. LOS RASSENDYLL... Y DOS PALABRAS SOBRE LOS ELPHBERG

—Me pregunto cuándo te decidirás a hacer algo, Rudolf —dijo la esposa de mi hermano.

—Mi querida Rose — contesté yo, dejando la cucharilla—, ¿se puede saber por qué he de hacer algo? Disfruto de una cómoda situación. Tengo una renta casi suficiente para mis necesidades (ya se sabe que ninguna renta parece del todo suficiente), mi posición social es envidiable: soy hermano de lord Burlesdon, y cuñado de una dama encantadora, la condesa. ¿No es bastante?

—Tienes veintinueve años —observó ella—, y no has hecho más que...

—¿Holgazanear? Es cierto. Nuestra familia no necesita hacer nada.

Este comentario mío molestó a Rose, pues todo el mundo sabe (y por lo tanto no hay nada malo en referirse a ello) que, a pesar de su belleza y cualidades, su familia no tiene la misma categoría que los Rassendyll. Además de su atractivo personal, poseía una gran fortuna, y mi hermano Robert fue suficientemente listo para no preocuparse por su linaje. En realidad, el siguiente comentario de Rose sobre el linaje fue bastante acertado:

—Las buenas familias suelen ser peores que las demás —dijo.

Al oír esto me pasé la mano por el cabello; sabía muy bien a qué se refería.

—¡Me alegro tanto de que Robert sea moreno —exclamó ella.

En ese momento Robert (que se levanta a las siete y trabaja antes del desayuno) entró en la habitación. Miró a su esposa, que se había sonrojado ligeramente, y la acarició afectuosamente.

—¿Qué sucede, querida? —preguntó.

—Le desagrada que no haga nada y tenga el cabello rojizo —dije yo, con tono ofendido.

—¡Oh! Lo del cabello no puede evitarlo —admitió Rose.

—Generalmente aparece una vez en cada generación —dijo mi hermano—. Igual que la nariz. Rudolf tiene ambas cosas.

—Desearía que no aparecieran —dijo Rose, aún sonrojada.

—A mí me gustan —dije yo y, levantándome, hice una reverencia ante el retrato de la condesa Amelia.

La esposa de mi hermano lanzó una exclamación de impaciencia.

—Desearía que quitaras ese cuadro, Robert —dijo.

—¡Querida! —exclamó él.

—¡Santo cielo! —añadí yo.

—Así podríamos olvidarlo —continuó ella.

—Difícilmente... teniendo a Rudolf aquí —dijo Robert, meneando la cabeza.

—¿Por qué tenemos que olvidarlo? —pregunté.

—¡Rudolf! —exclamó la esposa de mi hermano, sonrojándose de un modo muy atrayente.

Yo me eché a reír, y seguí tomándome el huevo. Por lo menos había conseguido que olvidaran la cuestión de qué debería hacer yo. Con objeto de poner fin a la discusión y también, debo admitirlo, de exasperar un poco más a mi estricta cuñadita, observé:

—¡Pues a mí me gusta ser un Elphberg!

Cuando leo un relato siempre me salto las explicaciones; sin embargo, en cuanto empiezo a escribir uno, descubro que he de darlas. Porque es evidente que debo explicar por qué mi nariz y mi cabello desagradan tanto a mi cuñada, y por qué yo me atrevía a llamarme a mí mismo Elphberg. Por muy eminentes que los Rassendyll hayan sido durante muchas generaciones, está claro que el hecho de llevar su sangre no justifica, a primera vista, la pretensión de la existencia de una conexión con la estirpe aún más ilustre de los Elphberg, o la afirmación de pertenecer a esa casa real. Porque, ¿qué relación hay entre Ruritania y Burlesdon, entre el palacio de Strelsau o el castillo de Zenda y el número 305 de Park Lane, W.?

Pues bien, y debo advertir que forzosamente, voy a sacar a relucir el mismo escándalo que mi querida lady Burlesdon desearía que estuviera olvidado. En el año 1733, durante el reinado de Jorge II, cuando todavía imperaba la paz y el rey y el príncipe de Gales aún no se habían enemistado, llegó de visita a la corte inglesa cierto príncipe, que después pasaría a la historia como Rudolf III de Ruritania. El príncipe era un joven alto y apuesto, caracterizado (o quizá desfigurado, yo no soy quién para decirlo) por una nariz extraordinariamente larga, afilada y recta, y una cabellera de color rojo oscuro, de hecho, la nariz y el cabello que siempre han caracterizado a los Elphberg. Permaneció varios meses en Inglaterra, donde fue cortésmente recibido; sin embargo, al final, se marchó envuelto en una nube de escándalo, ya que se batió a duelo (y fue muy admirado por renunciar a las prerrogativas de su rango) con un noble, muy conocido en la sociedad de la época, no sólo por sus propios méritos, sino por ser el marido de una dama muy hermosa. El príncipe Rudolf fue herido de gravedad en ese duelo y, una vez recuperado, el embajador ruritano lo sacó del país con no poco trabajo. El noble salió ileso del duelo, pero debido al frío y la humedad de la mañana en que tuvo lugar el desafío, contrajo un grave enfriamiento, del que no pudo recuperarse, y murió unos seis meses después de la partida del príncipe Rudolf, sin haber tenido tiempo de reanudar sus relaciones con su esposa, quien, al cabo de otros dos meses, dio a luz a un heredero del título y propiedades de la familia de Burlesdon. Esta dama era la condesa Amelia, cuyo retrato mi cuñada deseaba sacar del salón Park Lane, y su marido era James, quinto conde de Burlesdon, vigésimo segundo barón Rassendyll, títulos que figuran en la guía de la nobleza de Inglaterra, y caballero de la orden de la Jarretera. En cuanto a Rudolf, volvió a Ruritania, se casó y ascendió al trono, que sus descendientes en línea directa han ocupado desde entonces hasta hoy, con excepción de un corto intervalo. Y, finalmente, si recorren la galería de retratos de Burlesdon, entre la cincuentena de retratos del último siglo y medio, encontrarán cinco o seis, entre ellos el del sexto conde, que se distinguen por una nariz larga, afilada y recta, y una gran mata de cabello rojo oscuro; estos cinco o seis también tienen los ojos azules, mientras que entre los Rassendyll predominan los ojos oscuros.

Esta es la explicación, y me alegro de haberla terminado; las manchas de un linaje honorable son un tema delicado, y no hay duda de que esta herencia que tanto da que hablar favorece los escándalos, hace que se olvide la discreción, y que se escriban extrañas notas entre líneas de la *Guía de los padres*.

Se observará que mi cuñada, con una falta de lógica que debía ser peculiar en ella (puesto que ya no nos permiten atribuirla a su sexo), consideraba el color de mi cabello como una ofensa de la que yo fuese responsable, apresurándose a deducir por ese signo externo defectos internos de los que debo declararme totalmente inocente, e intentaba demostrar esta injusta educación señalando la inutilidad de la vida que había llevado hasta entonces. Bueno, sea como fuere, yo había tenido muchas diversiones y adquirido muchos conócimientos. Había ido a un colegio alemán y una universidad alemana, y hablaba el alemán casi con tanta facilidad y perfección como el inglés; dominaba el francés; tenía nociones de italiano y sabía el suficiente español para maldecir en ese idioma. Era, creo yo, un espadachín resistente aunque no muy bueno y excelente tirador. Era capaz de montar cualquier cosa a lomos de la cual pudiera sentarme y tenía una de las mentes más frías que puedan encontrarse, a pesar de su llameante envoltura. Si opinan que debería haber ocupado mi tiempo en un trabajo útil, no estoy ante un tribunal y no tengo nada que alegar, salvo que mis padres no tenían por qué dejarme dos mil libras anuales y un carácter despreocupado.

—La diferencia entre tú y Robert —dijo mi cuñada, que muy a menudo (¡bendita sea!) habla sobre un estrado, y aún más a menudo como si estuviera sobre uno— es que él reconoce los deberes de su posición, y tú solo ves las ventajas de la tuya.

—Para un hombre sensible, mi querida Rose —contesté yo—, las ventajas son deberes.

—¡Tonterías! —dijo ella, irguiendo la cabeza; y al cabo de un momento prosiguió—: Ahí tienes a sir Jacob Borrodaile, que te ofrece algo para lo que tal vez estés capacitado.

—¡Muchísimas gracias! —murmuré yo.

—Le darán una embajada dentro de seis meses, y Robert dice que seguramente te llevará como agregado. Acéptalo, Rudolf... aunque sólo sea por complacerme.

Pues bien, cuando mi cuñada enfoca la cuestión de este modo, frunciendo sus bonitas cejas, retorciéndose las manos y adoptando una expresión melancólica, todo ello a causa de un bribón y un haragán como yo, hacia quien no tiene una responsabilidad natural, me siento abrumado por los remordimientos. Además, pensé que el puesto sugerido podía proporcionarme una diversión tolerable. Por lo tanto dije:

—Mi querida hermana, si dentro de seis meses no ha surgido ningún obstáculo imprevisto, y sir Jacob me lo propone, ¡que me cuelguen si no voy con sir Jacob!

—¡Oh, Rudolf, qué bueno eres! ¡Qué contenta estoy!

—¿Adónde irá?

—Todavía no lo sabe; pero no cabe duda de que será una buena embajada.

—*Madame* —dije—, iré por ti, aunque sólo sea una misión sin importancia. Cuando hago una cosa no la hago a medias.

Así pues, había dado mi palabra; pero seis meses son seis meses, y parecen una eternidad, y ése era el tiempo que faltaba para empezar mi futuro trabajo (supongo que los agregados han de trabajar, pero no lo sé, pues nunca llegué a ser agregado de sir Jacob ni de nadie), traté de encontrar un buen modo de pasarlos. De repente se me ocurrió ir de viaje a Ruritania. Puede parecer extraño que aún no hubiera visitado ese país, pero mi padre (a pesar de su latente inclinación hacia los Elphberg, que le impulsó a ponerme a mí, su segundo hijo, el nombre de Rudolf que goza de tanto arraigo en esa familia), siempre se había opuesto a que fuera y, desde su muerte, mi hermano, incitado por Rose, había aceptado la tradición familiar según la cual era mejor no acercarse a ese país. Pero desde el momento en que me pasó por la cabeza la idea de Ruritania, me asaltó la curiosidad y el deseo de verlo. Al fin y al cabo, el cabello y la nariz larga no son una exclusiva de la casa de Elphberg, y la vieja historia no parecía razón suficiente para privarme de conocer un reino tan interesante e importante, un reino que tan gran papel había desempeñado en la historia europea, y que podía volver a hacerlo bajo el mando de un soberano joven y enérgico, como se rumoreaba que era el nuevo rey. Me reafirmé en mi decisión al leer en el *Times* que Rudolf V iba a ser coronado en Strelsau tres semanas más tarde, y que la celebración sería magnífica. En aquel mismo momento decidí estar presente y empecé los preparativos. Pero como nunca he tenido la costumbre de proporcionar a mis parientes un itinerario de mis viajes, y en este caso preveía una fuerte oposición a mis deseos, les dije que iba a dar una vuelta por el Tirol (una vieja obsesión mía) y aplaqué la cólera de Rose declarando que pensaba estudiar los problemas políticos y sociales de la interesante comunidad que habita en aquel lugar.

—Es posible —insinué misteriosamente— que esta expedición tenga un resultado práctico.

—¿A qué te refieres? —preguntó ella.

—Bueno —contestó con fingida indiferencia—, hay una laguna que podría llenarse con un trabajo exhaustivo sobre...

—¡Oh! ¿Piensas escribir un libro? —exclamó ella, aplaudiendo—. Sería maravilloso, ¿verdad, Robert?

—Hoy en día es la mejor introducción a la vida política —observó mi hermano que, por cierto, se ha introducido a sí mismo varias veces de este modo. *Burlesdon: teorías antiguas y hechos modernos* y *La última consecuencia, por un estudiante de política* son libros de reconocida importancia.

—Creo que tienes razón, Bob —dije yo.

—Prométeme que lo harás —dijo Rose con seriedad.

—No, no te lo prometo; pero si encuentro suficiente material, lo haré.

—Me parece justo —dijo Robert.

—¡Oh, el material no importa! —exclamó ella, enfurruñada.

Pero esta vez no pudo arrancarme más que una vaga promesa. A decir verdad, yo habría apostado una buena cantidad a que la historia de mi expedición veraniega no emborronaría ninguna hoja de papel y no estropearía una sola pluma. Y ello demuestra lo poco que sabemos acerca de lo que nos deparará el futuro, porque aquí estoy, cumpliendo mi vaga promesa, y escribiendo un libro que nunca había pensado escribir, aunque no creo que sirva de introducción a la vida política, y no tiene nada que ver con el Tirol.

Me temo que tampoco agradaría a lady Burlesdon, si pensara someterlo a su consideración, paso que no tengo la intención de dar.

## 2. SOBRE EL COLOR DEL CABELLO DE LOS HOMBRES

Era una máxima de mi tío William que nadie debería pasar por París sin quedarse veinticuatro horas allí. Mi tío era un hombre de mundo, y yo seguí su consejo hospedándome un día y una noche en el Continental cuando iba de camino hacia... el Tirol. Fui a ver a George Featherly a la embajada, cenamos juntos en Durand's, y luego pasamos por la Opera; después tomamos un ligero refrigerio, tras el cual fuimos a ver a Bertram Bertrand, un poeta de cierta fama, corresponsal del *Critic* en París. Tenía un piso muy cómodo, donde encontramos a varios amigos suyos fumando y charlando. Sin embargo, me di cuenta de que Bertram estaba ausente y alicaído, y cuando todos, excepto nosotros, se hubieron ido, le interrogué acerca de su honda preocupación. Me contestó con evasivas durante un rato, pero al fin, arrojándose sobre el sofá, exclamó:

—Muy bien; si queréis saberlo, os lo diré. Estoy enamorado... ¡perdidamente enamorado!

—Oh, escribirás tu mejor poesía —dije yo, a modo de consolación.

El se revolvió el cabello con la mano y fumó rabiosamente. George Featherly, apoyado en la repisa de la chimenea, sonrió cruelmente.

—Si se trata de quien yo pienso —declaró—, será mejor que la olvides, Bert. Se marcha de París mañana.

—Ya lo sé —contestó bruscamente Bertram.

—Y aunque se quedara, sería lo mismo —prosiguió el despiadado George—. ¡Ella aspira a algo más que un simple periodista, muchacho!

—¡Maldita sea! —dijo Bertram.

—Todo esto sería más interesante para mí —me atreví a observar—, si supiera de quién estáis hablando.

—De Antoinette Mauban —dijo George.

—Antoinette de Mauban —gruñó Bertram.

—¡Ajá! —dije yo, pasando por alto la cuestión del «de»—. No querrás decir, Bert...?

—¿Por qué no me dejáis en paz?

—¿Adónde va? —pregunté, pues la dama era toda una celebridad.

George hizo sonar calderilla que llevaba en el bolsillo, sonrió cruelmente al pobre Bertram y contestó con amabilidad:

—Nadie lo sabe. Por cierto, Bert, la otra noche... hace aproximadamente un mes, conocí a un gran hombre en su casa. ¿Lo conoces tú? Me refiero al duque de Strelsau.

—Sí, lo conozco —gruñó Bertram.

—Me pareció un hombre muy interesante.

No era difícil darse cuenta de que los comentarios de George sobre el duque pretendían agravar los sufrimientos del pobre Bertram, por lo que deduje que el duque había distinguido a madame de Mauban con sus atenciones. Ella era viuda, rica, hermosa y, según se decía, muy ambiciosa. Todo parecía indicar que, como George había dicho, aspiraba nada menos que a un personaje que tuviera todo lo que se podía tener, excepto rango estrictamente real, pues el duque era hijo del difunto rey de Ruritania por un segundo matrimonio contraído con una mujer de linaje inferior, y medio hermano del nuevo rey. Había sido el favorito de su padre, y el hecho de que fuera nombrado duque de la misma capital ocasionó muchos comentarios desfavorables. Su madre había pertenecido a una buena familia, aunque no a la nobleza.

—¿Sigue todavía en París? —pregunté.

—¡Oh, no! Ha regresado para estar presente en la coronación del rey; una ceremonia que, a mi juicio, no le complacerá demasiado. ¡Pero Bert, viejo amigo, no desesperes! El no se casará con la bella Antoinette; no lo hará jamás, a no ser que fracase otro de sus planes. Sin embargo, tal vez, ella... —hizo una pausa y añadió, con una carcajada—: Las atenciones reales son difíciles de resistir; tú ya lo sabes, ¿verdad, Rudolf?

—¡Vete al infierno! —exclamé yo; y levantándome, dejé al desventurado Bertram en manos de George y me fui a acostar.

Al día siguiente George Featherly me acompañó a la estación, donde tomé un billete para Dresde.

—¿Vas a ver los retratos? —preguntó George, con una sonrisa irónica.

George es un charlatán incorregible, y si le hubiera dicho que iba a Ruritania, la noticia habría llegado a Londres al cabo de tres días y a Park Lane al cabo de una semana. Por lo tanto, estaba a punto de contestarle con una evasiva, cuando él salvó mi conciencia dejándome súbitamente y echando a correr por el andén. Lo seguí con la mirada, y lo vi levantarse el sombrero y abordar a una hermosa mujer elegantemente vestida que acababa de salir de la oficina de reservas. Debía de tener poco más de treinta años, era alta y morena, y tenía una preciosa figura. Mientras George hablaba, vi que ella me miraba, y mi vanidad se resintió al pensar que, embozado en un abrigo de pieles y una bufanda (pues era un frío día de abril) y con una gorra de viaje calada hasta las orejas no debía estar demasiado favorecido. Al cabo de un momento, George regresó.

—Tendrás una encantadora compañera de viaje —declaró—. Esta es la diosa del pobre Bert Bertram, Antoinette de Mauban, y, como tú, va a Dresde... también, sin duda, para ver los retratos. Es muy extraño, sin embargo, que por el momento no desee tener el honor de conocerte.

—Yo no he podido serle presentado —repliqué, un poco molesto.

—Bueno, yo me he ofrecido a llevarte ante ella, pero me ha dicho: «En otra ocasión.» No te preocupes, viejo amigo, quizá haya un choque, y tú tengas oportunidad de rescatarla y desbancar al duque de Strelsau.

Sin embargo, ni madame de Mauban ni yo tuvimos el menor contratiempo. Puedo hablar de ella con tanta seguridad como de mí mismo ya que cuando, tras una noche de descanso en Dresde, proseguí mi viaje, ella subió al mismo tren. Comprendiendo que deseaba estar sola, la evité cuidadosamente, pero vi que seguía la misma ruta que yo hasta el fin del viaje, y tuve muchas oportunidades de observarla a placer sin que ella lo advirtiera.

En cuanto llegamos a la frontera ruritana (donde el viejo oficial de aduanas me dirigió tal mirada de asombro que ya no me cupo la menor duda de tener la fisonomía de un Elphberg), compré el periódico y leí una noticia que alteró mis planes. Por alguna razón, que no se explicaba con claridad, y parecía constituir un misterio, la fecha de la coronación había sido adelantada repentinamente, y la ceremonia iba a tener lugar al cabo de dos días. Todo el país estaba conmocionado, y era evidente que Strelsau se hallaba atestada. Todos los hoteles estaban llenos; habría pocas posibilidades de encontrar alojamiento, y sin duda tendría que pagar un precio exorbitante por él. Decidí detenerme en Zenda, una pequeña ciudad situada a ochenta kilómetros de la capital, y unos quince de la frontera. Mi tren llegó allí al atardecer; pasaría el día siguiente, martes, paseando por las colinas, que tenían fama de ser muy hermosas, y echando una ojeada al famoso castillo, e iría en tren a Strelsau el miércoles por la mañana, para regresar por la noche a Zenda.

Así pues, me apeé en Zenda y, cuando el tren pasó frente al lugar del andén donde yo estaba, vi a mi amiga madame de Mauban en su asiento; era evidente que proseguía hacia Strelsau y supuse que, con más previsión de la que yo había tenido, habría reservado habitaciones allí. Sonreí al pensar en lo sorprendido que habría estado George Featherly de saber que ella y yo habíamos sido compañeros de viaje durante tanto tiempo.

Fui amablemente recibido en el hotel (en realidad, no era más que una posada), que estaba regentado por una gruesa matrona y sus dos hijas. Eran personas bondadosas y tranquilas, y parecían muy poco interesadas por los grandes acontecimientos de Strelsau. El héroe de la anciana era el duque pues, en virtud del testamento del difunto rey, ahora poseía las propiedades de Zenda y el castillo, que se levantaba majestuosamente sobre una escarpada colina situada al final del valle, a unos dos kilómetros de la posada. De hecho, la anciana no dudó en lamentarse de que el duque no ocupara el trono, en vez de su hermano.

—Todos conocemos al duque Michael —dijo—. Siempre ha vivido entre nosotros; hasta el último de los ruritanos conoce al duque Michael. Pero el rey es casi un desconocido; ha estado tanto tiempo en el extranjero, que ni uno de cada diez habitantes lo conoce siquiera de vista.

—Y ahora —terció una de las jóvenes—, dicen que se ha afeitado la barba, de modo que no lo conoce absolutamente nadie.

—¡Qué se ha afeitado la barba! —exclamó su madre—. ¿Quién lo dice?

—Johann, el guardabosques del duque. Ha visto al rey.

—Ah, sí. El rey, señor, está ahora en el pabellón de caza que el duque tiene en el bosque; desde aquí irá a Strelsau para ser coronado el miércoles por la mañana.

La noticia me interesó, y decidí que el día siguiente pasearía en la dirección del pabellón, con la esperanza de encontrar al rey. La anciana prosiguió locuazmente:

—Ah, desearía que se dedicase a la caza, dicen que lo único que le gusta es eso y el vino, y otra cosa que me callo, y permitiera que nuestro duque fuese coronado el miércoles. Esto es lo que deseo, y no me importa que lo sepa todo el mundo.

—¡Chist, madre! —advirtieron las hijas.

—¡Oh, hay muchos que piensan como yo! —exclamó la anciana con obstinación.

Yo me arrellané en el sillón y me reí de su ardor.

—¡Pues yo —dijo la más joven y bonita de las dos hijas, una muchacha rubia, rolliza y sonriente —odio a Michael el Negro! ¡Prefiero a un Elphberg pelirrojo, madre! Dicen que el rey es tan pelirrojo como un zorro o como..

Se rió maliciosamente mientras me lanzaba una mirada, e irguió la cabeza al ver la mueca de desaprobación de su hermana.

—Más de uno ha criticado su cabello rojizo antes de ahora —murmuró la anciana... y yo recordé a James, quinto conde de Burlesdon.

—¡Pero nunca una mujer! —exclamó la muchacha.

—Sí, también las mujeres, cuando ya era demasiado tarde —fue la severa respuesta, que hizo callar y ruborizar a la muchacha.

—¿Cómo es que el rey está aquí? —pregunté, para romper un embarazoso silencio—. Usted ha dicho que éstas son las tierras del duque.

—El duque lo invitó, señor, a que descansara aquí hasta el miércoles. El está en Strelsau, preparando la recepción del rey.

—Entonces, ¿son amigos?

—No los hay mejores —dijo la anciana.

Pero mi ruborosa damisela volvió a levantar la cabeza; no era de las que pueden contenerse durante mucho rato, y exclamó:

—¡Sí, se aprecian todo lo que dos hombres que ambicionan el mismo puesto y la misma esposa pueden apreciarse!

La anciana la miró con indignación; pero las últimas palabras habían despertado mi curiosidad y, antes de que pudiera replicar, pregunté:

—¡Caramba, la misma esposa, también! ¿Cómo es eso, señorita?

—Todo el mundo sabe que Michael el Negro, bueno, madre, el duque, vendería su alma por casarse con su prima, la princesa Flavia, y que ella será la reina.

—Le doy mi palabra —dije yo— de que empiezo a sentir lástima por el duque. Pero si un hombre nace siendo el hijo menor, debe tomar lo que le deja el mayor, y dar gracias a Dios —y, pensando en mí mismo, me encogí de hombros y me eché a reír. Después pensé también en Antoinette de Mauban y su viaje a Strelsau.

—Michael el Negro no se ha portado bien con... —empezó la muchacha, plantando cara ante la cólera de su madre; pero mientras hablaba se oyeron unos pasos, y una voz áspera preguntó en tono amenazador:

—¿Quién habla de Michael el Negro en los mismos dominios de su alteza?

La muchacha lanzó un grito, en parte de alarma y en parte, creo yo, de diversión.

—No me delatarás, ¿verdad, Johann? —inquirió.

—Mira a dónde conducen tus habladurías —dijo la anciana.

El hombre que había hablado se adelantó.

—Tenemos compañía, Johann —dijo mi anfitriona, y el recién llegado se quitó la gorra. Al cabo de un momento me vio y, ante mi estupefacción, dio un paso atrás como si hubiera visto algo prodigioso.

—¿Qué te sucede, Johann? —preguntó la hija mayor—. Es un caballero que está de viaje, y ha venido a ver la coronación.

El hombre se había recobrado, pero me contemplaba con una mirada intensa, penetrante y casi fiera.

—Buenas noches —le dije yo.

—Buenas noches, señor —murmuró, sin dejar de escrutarme, y la alegre muchacha se echó a reír mientras decía:

—¡Mira, Johann, es el color que te gusta! Se ha sobresaltado al ver su cabello, señor. No es un color que veamos con frecuencia en Zenda.

—Le suplico que me perdone, señor —balbuceó el hombre, con expresión desconcertada—. No esperaba ver a nadie.

—Denle una copa para que beba a mi salud; y ahora les deseo buenas noches, y les agradezco, señoras, su amabilidad y grata conversación.

Mientras hablaba, me puse en pie, y con una ligera inclinación me dirigí hacia la puerta. La muchacha corrió para alumbrarme, y el hombre se retiró para dejarme pasar, con los ojos aún fijos en mí. Cuando me disponía a franquear el umbral, dio un paso al frente, y preguntó:

—Disculpe, señor, ¿conoce usted a nuestro rey?

—Nunca lo he visto —dije yo—. Pero espero verlo el miércoles.

No dijo nada más, sin embargo, noté que siguió mirándome hasta que la puerta se cerró a mi espalda. Mi imprudente guía, mirándome por encima del hombro mientras me precedía escaleras arriba, dijo:

—A John no le gusta el color de su cabello, señor.

—¿Prefiere el tuyo, quizá? —sugerí.

—Me refería, señor, en un hombre —contestó ella, con coquetería.

—¿Qué importa el color del cabello en un hombre? —pregunté, asiendo el otro lado del candelabro.

—Nada, pero a mí me encanta el suyo... es el rojizo de los Elphberg.

—¡El color del cabello de un hombre —dije yo— es una cuestión mucho menos importante que esto! —y le di algo de poco valor.

—¡Quiera Dios que la puerta de la cocina esté cerrada! —exclamó la muchacha.

—¡Amén! —contesté, separándome de ella.

Sin embargo, como ahora sé muy bien, hay veces en que el color del cabello es muy importante para un hombre.

# 3. UNA ALEGRE VELADA CON UN PARIENTE LEJANO

Yo era suficientemente razonable para no tener prejuicios contra el guardabosques del duque porque le desagradara el color de mi cabello; de haber sido así, su amable y servicial conducta (al menos así me lo pareció a mí) de la mañana siguiente lo habría disipado. Al enterarse de que mi destino era Strelsau, vino a verme mientras desayunaba, y me dijo que una hermana suya que se había casado con un próspero comerciante y vivía en la capital, le había ofrecido una habitación en su casa. El había aceptado gustosamente, pero después se dio cuenta de que sus deberes no le permitían ausentarse, así que me rogó que, si un alojamiento tan humilde (aunque, como añadió, limpio y cómodo) podía satisfacerme, tomara su lugar. Me garantizó la conformidad de su hermana, y destacó las molestias y aglomeraciones que debería soportar en los viajes entre Zenda y Strelsau al día siguiente. Yo acepté su oferta sin titubear, y él se fue a telegrafiar a su hermana mientras yo hacía la maleta y me preparaba para tomar el próximo tren. Pero aún me atraían el bosque y el pabellón de caza y, cuando mi pequeña doncella me dijo que, andando unos quince kilómetros a través del bosque, podría tomar el tren en otra estación, decidí enviar mi equipaje directamente a la dirección que Johann me había dado, dar el paseo, y seguir después hacia Strelsau. Johann se había marchado y no se enteró del cambio de planes, pero, como su única consecuencia era el retraso de unas horas en mi llegada a casa de su hermana, no había razón para molestarse informándole. Indudablemente la buena mujer no sufriría por mí.

Tomé un ligero almuerzo y, tras despedirme de mis amables anfitriones y prometerles que les haría una visita durante el viaje de regreso, me encaminé hacia la colina que llevaba al castillo, y de allí al bosque de Zenda. Al cabo de media hora de paseo llegué al castillo. Antiguamente había sido una fortaleza; el vetusto torreón aún estaba bien conservado y resultaba muy imponente. Detrás de él se levantaba otra porción del castillo original, y detrás de ésta, separada de ella por edificios, había una hermosa construcción moderna, erigida por el último rey, que ahora constituía la residencia campestre del duque de Strelsau. Las partes antigua y moderna estaban conectadas por un puente levadizo, y este indirecto medio de acceso era el único pasaje entre el edificio viejo y el mundo exterior; pero una ancha y hermosa avenida conducía al castillo moderno. Era una residencia ideal: cuando Michael el Negro deseaba compañía, podía habitar en el sector moderno; si le asaltaba un acceso de misantropía, sólo tenía que cruzar el puente y levantarlo tras de sí (funcionaba a base de rodillos), y únicamente un regimiento o una descarga de artillería podría hacerlo salir. Proseguí mi camino, alegrándome de que el pobre duque, aunque no pudiera tener el trono o a la princesa, tuviese, al menos, una residencia tan hermosa como cualquier príncipe europeo.

No tardé en llegar al bosque, y seguí andando durante una hora o más a la sombra de sus frondosos árboles. Estos se enlazaban unos con otros sobre mi cabeza, y los rayos del sol se filtraban a través de ellos con destellos tan luminosos como diamantes y apenas más grandes. Aquel paisaje me encantó y, al encontrar un tronco de árbol caído, me apoyé contra él y, estirando las piernas, me dediqué a contemplar la imponente belleza del bosque y a fumar un buen cigarro. Cuando el cigarro se acabó y yo hube inhalado (supongo) tanta belleza como pude, quedé sumido en el más delicioso de los sueños, indiferente a mi tren de Strelsau y al paso de las horas. Acordarse de un tren en tal lugar habría sido un verdadero sacrilegio. En cambio, soñé que estaba casado con la princesa Flavia, que habitaba en el castillo de Zenda, y que pasaba días enteros con mi amor en los claros del bosque, lo cual fue un sueño muy agradable. De hecho, estaba depositando un ferviente beso sobre los encantadores labios de la princesa, cuando oí (y al principio la voz pareció parte del sueño) que alguien exclamaba, en tono áspero y estridente:

—¡Que me ahorquen si no es cosa del diablo! ¡Afeitado, sería el rey!

La idea parecía suficientemente excéntrica para un sueño; ¡sacrificando mi grueso bigote y mi perilla esmeradamente recortada, me transformaría en un monarca! Estaba a punto de volver a besar a la princesa, cuando llegué a la conclusión (muy a pesar mío) de que estaba despierto.

Abrí los ojos, y vi a dos hombres que me miraban con gran curiosidad. Ambos iban vestidos con traje de caza y llevaban armas. Uno era de baja estatura y bastante robusto, con la cabeza en forma de bala, un erizado bigote gris, y pequeños ojos azules. El otro era un joven delgado, de mediana estatura, cabello oscuro, y dotado de una gran elegancia y distinción. Tomé al primero por un viejo soldado, y al otro por un caballero acostumbrado a moverse en la buena sociedad, pero tampoco ajeno a la vida militar. Después comprobé la certeza de mi suposición.

El hombre de más edad se acercó a mí, e indicó al joven que lo imitara. El lo hizo así, levantándose cortésmente el sombrero. Yo me puse en pie con lentitud.

—¡Hasta son de la misma estatura! —oí murmurar al de más edad, mientras inspeccionaba mi metro ochenta y siete centímetros.

Después, llevándose la mano a la gorra, me dijo:

—¿Puedo preguntarle cómo se llama?

—Ya que ustedes han dado el primer paso en la presentación —dije yo, con una sonrisa—, les corresponde dar sus nombres en primer lugar.

El joven dio un paso adelante con una afable sonrisa.

—Este —dijo— es el coronel Sapt, y yo me llamo Fritz von Tarlenheim; ambos estamos al servicio del rey de Ruritania.

Yo incliné la cabeza y, quitándome el sombrero, contesté:

—Soy Rudolf Rassendyll. Vengo de Inglaterra, y en otra época serví a su majestad la reina.

—Entonces todos tenemos algo en común —respondió Tarlenheim alargando la mano, que estreché con sumo gusto.

—¡Rassendyll, Rassendyll! —musitó el coronel Sapt; luego se iluminó la cara.

—¡Cielos! —exclamó—. ¿Es usted un Burlesdon?

—Mi hermano es ahora lord Burlesdon —dije.

—Su cabello lo traiciona —rió, señalando mi cabeza descubierta—. Bueno, Fritz, ¿no conoce la historia?

El joven me dirigió una mirada llena de excusas. Poseía una delicadeza que mi cuñada habría admirado. Para tranquilizarlo, comenté con una sonrisa:

—¡Ah! Al parecer, la historia es tan conocida aquí como entre nosotros.

—¡Conocida! —exclamó Sapt—. Si se queda aquí, ni un solo hombre ni una sola mujer en toda Ruritania dudarán de ella.

Empecé a encontrarme incómodo. De haber comprendido que llevaba mi ascendencia tan claramente escrita en mi persona, lo habría pensado mejor antes de visitar a Ruritania. Sin embargo, ya era tarde.

En ese momento se oyó una voz entre los árboles que quedaban a nuestras espaldas.

—¡Fritz, Fritz! ¿Dónde está, hombre?

Tarlenhein se sobresaltó, y dijo apresuradamente:

—¡Es el rey¡

El viejo Sapt volvió a reírse.

Entonces un hombre joven salió de detrás de un tronco y se situó junto a nosotros. Cuando lo miré, proferí una exclamación de sorpresa, y él, al verme, retrocedió con súbito asombro. A no ser por el vello de mi cara y el porte de consciente dignidad que le confería su posición, a no ser también por los dos centímetros menos (no, no tanto, pero algo así, de su estatura), el rey de Ruritania podría haber sido Rudolf Rassendyll, y yo, Rudolf, el rey.

Permanecimos inmóviles durante un instante, mirándonos. Después volví a descubrirme la cara y me incliné respetuosamente. El rey recobró la voz, y preguntó con estupefacción:

—Coronel... Fritz... ¿quién es este caballero?

Yo estaba a punto de contestar, cuando el coronel Sapt se interpuso entre el rey y yo, y empezó a hablar a su majestad en un quedo murmullo. El rey era mucho más alto que Sapt y, mientras lo escuchaba, me lanzaba frecuentes miradas. Yo lo mire larga y detenidamente. El parecido era ciertamente asombroso, aunque también me percaté de lo que nos diferenciaba. La cara del rey era un poco más llena que la mía, el óvalo de su contorno ligeramente más pronunciado y, a mi juicio, su boca carecía de la firmeza (u obstinación) que revelaban mis apretados labios. Pero, a pesar de ello, y por encima de todas las distinciones menores, el parecido resultaba asombroso, manifiesto e impresionante.

Sapt dejó de hablar, y el ceño del rey continuó fruncido. Luego, gradualmente, las comisuras de su boca empezaron a crisparse, su nariz descendió (como hace la mía cuando me río), sus ojos centellearon, y prorrumpió en alegres carcajadas incontenibles, que resonaron a través del bosque y revelaron que era un hombre jovial.

—¡Encantado, primo! —exclamó, acercándose a mí y dándome una palmada en la espalda mientras seguía riendo—. Perdone mi desconcierto. Un hombre no espera ver a su doble a estas horas del día, ¿eh, Fritz?

—Debo pediros perdón por mi atrevimiento, majestad—dije yo—. Confío en que ello no me prive del favor de vuestra majestad.

—¡De ningún modo! Usted siempre disfrutará de él —dijo riendo—, tanto si me gusta como si no; y será un placer, señor, ayudarle en lo que pueda. ¿Adónde se dirige?

—A Strelsau, majestad... a la coronación.

El rey miró a sus amigos; aún sonreía, aunque su expresión revelaba cierto desasosiego. Pero el lado humorísticode la situación volvió a imponerse en su espíritu.

—¡Fritz, Fritz —exclamó—, mil coronas por ver la cara de mi hermano Michael cuando vea que somos dos! —y sus alegres carcajadas volvieron a resonar en el bosque.

—Majestad —observó Fritz von Tarlenheim—, considero que el señor Rassendyll no debería ir a Strelsau por el momento.

El rey encendió un cigarrillo.

—¿Qué le parece, Sapt? —inquirió.

—No debe ir —gruñó el viejo.

—Vamos, coronel, quiere decir que estaría en deuda con el señor Rassendyll, si...

—Eso es exactamente lo que quiero decir —contestó Sapt, sacando una gran pipa del bolsillo.

—Es suficiente, majestad —dije yo—. Abandonaré Ruritania hoy mismo.

—Ni hablar, no lo hará. Sé lo digo *sans phrases*, como a Sapt le gusta. Porque esta noche cenará conmigo, ocurra lo que ocurra después. ¡Vamos, hombre, no se conoce a un pariente nuevo todos los días!

—Esta noche tenemos una cena ligera —dijo Fritz von Tarlenheim.

—¡No será así si tenemos a nuestro nuevo primo como invitado! —exclamó el rey; y, mientras Fritz se encogía de hombros, añadió—: ¡Oh! Y recordaré que saldremos temprano, Fritz.

—Yo, también... mañana por la mañana —dijo el viejo Sapt, dando una chupada a su pipa.

—¡Oh, el viejo y prudente Sapt! —exclamó el rey—. Vamos, señor Rassendyll... por cierto, ¿qué nombre le pusieron?

—El de vuestra majestad —contesté inclinándome.

—Bueno, eso demuestra que no se avergonzaban de nosotros —dijo riendo—. Vamos, pues, primo Rudolf; no tengo casa propia en este lugar, pero mi querido hermano Michael nos presta la suya, y nos turnaremos para agasajarlo allí —me tomó del brazo e, indicando a los otros que nos acompañaran, echó a andar hacia el oeste, a través del bosque.

Anduvimos durante más de media hora, mientras el rey fumaba y charlaba incesantemente. Demostró mucho interés por mi familia, se rió con entusiasmo cuando le hablé de los retratos con el cabello característico de los Elphberg que albergan nuestras galerías, y aún con más entusiasmo cuando supo que mi expedición a Ruritania era secreta.

—Tiene que visitar a su desacreditado primo a escondidas, ¿eh? —dijo.

De repente salimos del bosque y llegamos a un pequeño y tosco pabellón de caza. Era un edificio de una sola planta, una especie de *bungalow*, hecho enteramente de madera. Cuando nos acercábamos, un hombrecillo vestido de librea salió a recibirnos. La única persona, aparte de las ya mencionadas, que vi por los alrededores fue una obesa anciana, que después resultó ser la madre de Johann, el guardabosque del duque.

—Bueno, ¿está lista la cena, Josef? —preguntó el rey.

El sirviente nos informó de que así era, y no tardamos en sentarnos en una mesa cubierta de manjares. Los alimentos eran bastante sencillos, pero el rey comió con buen apetito, Fritz von Tarlenheim con discreción, y el viejo Sapt con voracidad. Yo tampoco hice mal papel, como tengo por costumbre; el rey observó mi conducta con satisfacción.

—Todos los Elphberg tenemos buen diente —dijo—. Pero, ¿qué es esto? ¡Estamos secos! ¡Vino, Josef! ¡Vino, hombre! ¿Es que somos animales, para comer sin beber? ¿Somos ganado, Josef?

Ante esta reprimenda, Josef se apresuró a llenar la mesa de botellas.

—¡Acordaos de mañana! —dijo Fritz.

—¡Sí... mañana! —dijo el viejo Sapt.

El rey vació una copa a la salud de su «primo Rudolf», como tenía la bondad —o la ligereza— de llamarme; y yo bebí otra vez por «el cabello rojo de los Elphberg», lo cual nos hizo reír estrepitosamente.

Ahora bien, dejando aparte la comida, el vino era excelente, y le hicimos justicia. En cierto momento Fritz se atrevió a sujetar la mano del rey.

—¿Qué? —exclamó el rey—. Recuerde que ustedes salen antes que yo, Fritz; eso significa que tendrán dos horas menos para reponerse.

Fritz vio que yo no comprendía nada.

—El coronel y yo —explicó— saldremos de aquí a las seis, iremos a Zenda y volveremos con la guardia de honor para recoger al rey a las ocho, y entonces iremos juntos a la estación.

—¡Maldita sea la guardia! —gruñó Sapt.

—Oh, mi hermano ha sido muy amable solicitando este honor para su regimiento —dijo el rey—. Vamos, primo, usted no tendrá que madrugar. ¡Otra botella, hombre!

Tomé otra botella o, mejor dicho, parte de ella, pues más de la mitad desapareció rápidamente por la garganta de su majestad. Fritz abandonó sus tentativas de persuasión; de persuasor pasó a ser persuadido, y al poco rato habíamos bebido todo el vino que éramos capaces de beber. El rey empezó a hablar de lo que haría en el futuro, el viejo Sapt de lo que había hecho en el pasado, Fritz de alguna que otra muchacha bonita y yo de los grandes méritos de la dinastía de los Elphberg. Todos hablábamos a la vez, y seguimos al pie de la letra el consejo de Sapt de no pensar en el día siguiente.

Al fin el rey dejó su copa y se recostó en la silla.

—Ya he bebido bastante —dijo.

—Nunca me atrevería a contradecir al rey —dije yo.

Desde luego, su observación era totalmente cierta.

Mientras yo seguía hablando, Josef entró en la habitación y depositó ante el rey una vieja botella cubierta de mimbre. Había reposado tanto tiempo en alguna oscura botella que parecía parpadear a la luz de las velas.

—Su alteza el duque de Strelsau me ordenó que ofreciera este vino al rey cuando se hubiera cansado de todos los demás, y rogara al rey que bebiese, por el amor que profesa a su hermano.

—¡Muy bien hecho, Michael el Negro! —dijo el rey—. Fuera con el tapón, Josef. ¡Maldito sea! ¿Pensaba que me acobardaría ante su botella?

Josef abrió la botella y llenó la copa del rey. El rey lo probó. Después, con una solemnidad debida a la hora y a su propio estado, nos miró largamente.

—Caballeros, amigos míos... Rudolf, primo mío (¡por mi honor, Rudolf, es una historia escandalosa!), le daré la mitad de Ruritania. Pero no me pida ni una sola gota de esta deliciosa botella, que beberé a la salud de ese... ese bribón, mi hermano, Michael el Negro.

El rey cogió la botella, se la llevó a la boca, apuró hasta la última gota y la tiró lejos; después apoyó los brazos sobre la mesa y sepultó la cabeza entre ellos.

Nosotros bebimos para que su majestad tuviera felices sueños, y esto es todo lo que recuerdo de aquella noche. Quizá sea suficiente.

# 4. EL REY ACUDE A LA CITA

No sé si dormí un minuto o un año. Me desperté con un sobresalto y un escalofrío; mi cara, mi cabello y mi ropa chorreaban agua; frente a mí se hallaba el viejo Sapt, con una sonrisa burlona en el rostro y un cubo vacío en la mano. Sentado en la mesa junto a él estaba Fritz von Tarlenheim, pálido como un fantasma y con unas ojeras más negras que el carbón.

Me levanté de un salto sin poder contener la ira.

—¡Sus bromas van demasiado lejos, señor! —grité.

—Cálmese, hombre, no tenemos tiempo para discutir. No había modo de despertarlo. Son las cinco.

—Le daré las gracias, coronel Sapt... —empecé de nuevo, acalorado de espíritu, aunque helado de cuerpo.

—Rassendyll —interrumpió Fritz, bajando de la mesa y tomándome del brazo—, mire allí.

El rey yacía cuan largo era en el suelo. Tenía la cara tan roja como el cabello, y respiraba pesadamente. Sapt, el irrespetuoso viejo, le propinó una fuerte patada. El rey no se movió, y su respiración no sufrió alteración alguna. Vi que tenía la cara y la cabeza mojadas, igual que yo.

—Llevamos media hora intentando reanimarlo —dijo Fritz.

—Bebió el triple que cualquiera de ustedes —gruñó Sapt.

Me arrodillé y le tomé el pulso. Era sumamente débil y lento. Los tres nos miramos.

—¿Contenía alguna droga... la última botella? —pregunté en un susurro.

—No lo sé —dijo Sapt.

—Debemos ir a buscar un médico.

—No hay ninguno en quince kilómetros, y ni un millar de médicos lo harían llegar hoy a Strelsau. Sé lo que ocurre en estos casos. No se moverá hasta dentro de seis o siete horas.

—¿Y la coronación? —pregunté con horror.

Fritz se encogió de hombros, como parecía ser su costumbre en la mayoría de ocasiones.

—Tenemos que enviar recado de que está enfermo —declaró.

—Supongo que sí —dije yo.

El viejo Sapt, que parecía estar más fresco que una rosa, había encendido la pipa y estaba chupándola con fuerza.

—Si no es coronado hoy —dijo—, apuesto una corona a que no lo será nunca.

—Pero, Dios mío, ¿por qué?

—La nación entera está allí para recibirlo; la mitad del ejército... sí, y Michael el Negro a la cabeza. ¿Debo enviar recado de que el rey está borracho?

—De que está enfermo —le corregí yo.

—¡Enfermo! —repitió Sapt, con una carcajada despectiva—. Conocen muy bien su enfermedad ¡Ha estado «enfermo» otras veces!

—Bueno, tenemos que arriesgarnos a que piensen lo que quieran —dijo Fritz con aire de impotencia—. Llevaré la noticia yo mismo y haré todo lo que pueda.

Sapt alzó la mano.

—Dígame —me espetó—, ¿cree que el rey fue drogado?

—Así es —contesté.

—¿Y quién lo drogó?

—Ese despreciable canalla, Michael el Negro —dijo Fritz entre dientes.

—¡Ah! —exclamó Sapt—, para que no pudiera ser coronado. Rassendyll no conoce a nuestro querido Michael. ¿No cree, Fritz, que Michael tiene un rey preparado? ¿Que la mitad de Strelsau tiene otro candidato? Tan cierto como que Dios existe, el trono está perdido si el rey no se presenta hoy en Strelsau. Conozco a Michael el Negro.

—Podríamos llevarlo —sugerí yo.

Fritz von Tarlenheim sepultó la cara entre las manos. El rey respiraba fuerte y pesadamente. Sapt volvió a sacudirlo con el pie.

—¡Maldito borracho! —exclamó—; pero es un Elphberg e hijo de su padre, y Dios quiera que yo me pudra en el infierno antes de que Michael el Negro se siente en su lugar.

Durante un momento todos guardamos silencio; después Sapt, frunciendo sus tupidas cejas grises, se sacó la pipa de la boca y me dijo:

—Cuando un hombre envejece, cree en el destino. El destino lo envió a usted aquí. El destino lo envía ahora a Strelsau.

Yo retrocedí tambaleándome y murmuré:

—¡Santo Dios!

Fritz alzó los ojos con una expresión anhelante y perpleja.

—¡Imposible! —murmuré—. Me descubrirían.

—Es un riesgo... frente a lo inevitable —dijo Sapt—. Si se afeita, apuesto a que no lo descubrirán. ¿Tiene miedo?

—¡Señor!

—Vamos, amigo, vamos; pero si lo descubren va en ello su vida, ¿sabe?, y la mía, y la de Fritz. Pero si no va, le juro que esta noche

Michael el Negro se sentará en el trono, y el rey estará en prisión o en su tumba.

—El rey nunca nos lo perdonaría —tartamudeé yo.

—¿Acaso somos mujeres? ¿A quién le importa su perdón?

El reloj dejó oir su tictac cincuenta veces, y sesenta y setenta veces mientras yo permanecía sumido en mis pensamientos. Finalmente supongo que mi resolución se reflejó en mi cara, pues el viejo Sapt me asió la mano, exclamando:

—¿Irá?

—Sí, iré —dije, y volví los ojos hacia la postrada figura del rey.

—Esta noche —prosiguió Sapt en un murmullo— nos alojaremos en el palacio. En cuanto nos dejen solos, usted y yo subiremos a nuestros caballos, Fritz debe quedarse aquí para custodiar la habitación del rey, y vendremos aquí a todo galope. El rey estará preparado, Josef se lo explicará, y regresará conmigo a Strelsau, mientras usted se dirige a la frontera como si lo persiguiera el diablo.

Yo lo asimilé todo en un segundo, y asentí con la cabeza.

—Hay una posibilidad —dijo Fritz, en una primera muestra de esperanza.

—Si no me descubren —puntualicé.

—Si nos descubren —dijo Sapt— enviaré a Michael el Negro al infierno antes de ir yo mismo, de modo que Dios me ayude. Siéntese en esa silla, amigo.

Yo obedecí.

El salió rápidamente de la habitación, llamando «¡Josef! ¡Josef!». Al cabo de tres minutos estaba de vuelta, y Josef con él. Este último llevaba una jarra de agua caliente, jabón y navajas de afeitar. Se echó a temblar cuando Sapt le explicó la situación, y le ordenó que me afeitara.

De repente Fritz se dio un puñetazo en el muslo.

—¿Y la guardia? ¡Ellos lo descubrirán! ¡Ellos lo descubrirán!

—¡Bah! No esperaremos a la guardia. Iremos a caballo hasta Hofbau y tomaremos el tren allí. Cuando lleguen, el pájaro habrá volado.

—¿Y el rey?

—El rey estará en la bodega. Voy a llevarlo allí ahora mismo.

—¿Y si lo encuentran?

—No lo encontrarán. ¿Cómo van a hacerlo? Josef los despachará.

—Pero...

Sapt dio una patada en el suelo.

—No estamos jugando—rugió—. ¡Dios mío! ¿Creen que no soy consciente del riesgo? Si lo encuentran, su situación no será peor que si no es coronado hoy en Strelsau.

Mientras hablaba abrió la puerta y, agachándose, dio muestras de una fuerza que no aparentaba tener, levantando al rey en brazos.

En ese momento, la anciana, la madre del guardabosque Johann, apareció en el umbral. Permaneció allí unos momentos, luego giró sobre sus talones, sin ningún signo de sorpresa, y se alejó por el pasillo.

—¿Nos habrá oído? —exclamó Fritz.

—¡Yo le cerraré la boca! —dijo sombríamente Sapt, llevándose al rey en sus brazos.

En cuanto a mí, me senté en una silla, y mientras estaba allí, medio aturdido, Josef me afeitó hasta que mi bigote y mi perilla fueron cosas del pasado y mi cara quedó tan pelada como la del rey. Cuando Fritz me vio así, inspiró profundamente y exclamó:

—¡Por Júpiter, lo conseguiremos!

Ya eran las seis, y no teníamos tiempo que perder. Sapt me condujo a la habitación del rey, y me vestí con el uniforme de coronel de la guardia, encontrando tiempo, mientras me ponía las botas del rey, para preguntar al viejo Sapt qué había hecho con la mujer.

—Me ha jurado que no había oído nada —dijo—, pero para asegurarme le he atado las piernas y las manos, le he metido un pañuelo en la boca y la he encerrado en la carbonera, muy cerca del rey. Josef cuidará de ambos.

Entonces yo me eché a reír, e incluso el viejo Sapt sonrió tétricamente.

—Me imagino —comenté— que cuando Josef les diga que el rey se ha marchado, supondrán que temíamos una mala pasada. Puede usted jurar que Michael el Negro no espera verlo hoy en Strelsau.

Me cubrí la cabeza con el casco del rey. El viejo Sapt me alargó la espada, mirándome larga y atentamente.

—¡Gracias a Dios que se afeitó la barba! —exclamó.

—¿Por qué lo hizo? —preguntó.

—Porque la princesa Flavia dijo que le rascaba la mejilla cuando él le daba un beso de primo. Bueno, vámonos, ya es la hora.

—¿Está todo seguro aquí?

—Nada está seguro en ningún sitio —repuso Sapt— pero no podemos hacer más.

Fritz salió a nuestro encuentro con el uniforme de capitán del mismo regimiento al que mi traje pertenecía. A los cuatro minutos Sapt se había puesto también su uniforme. Josef nos avisó de que los caballos estaban dispuestos. Montamos rápidamente e iniciamos la marcha a trote ligero. La aventura había comenzado. ¿Cuál sería el desenlace?

El fresco aire de la mañana me despejó, y pude asimilar todo lo que Sapt me dijo. Su actitud fue extraordinaria. Fritz apenas habló, cabalgando como un hombre dormido, pero Sapt, sin otra alusión al rey, empezó a instruirme inmediatamente sobre la historia de mi vida pasada, de mi familia, gustos, actividades, debilidades, amigos, compañeros y sirvientes. Me explicó la etiqueta de la corte ruritana, prometiendo estar constantemente a mi lado para señalarme a todos los que debía conocer, e indicarme con qué grado de intimidad saludarlos.

—Por cierto —dijo—, supongo que es usted católico.

—Claro que no —contesté.

—¡Santo Dios, es un hereje! —gimió Sapt, y pasó a darme una rudimentaria lección sobre los ritos y creencias de la fe romana.

—Por fortuna —añadió—, nadie esperará que sepa usted demasiado, pues el rey es muy despreocupado y negligente en estas cuestiones. Pero debe ser extremadamente amable con el cardenal. Hemos de intentar ganárnoslo, pues él y Michael están en desacuerdo respecto a sus privilegios.

Ya estábamos en la estación. Fritz había recobrado la serenidad suficiente para explicar al sorprendido jefe de estación que el rey había cambiado sus planes. El tren llegó en aquel momento. Subimos a un vagón de primera clase y Sapt, recostándose sobre los cojines, prosiguió su lección. Yo eché una ojeada a mi reloj, era el reloj del rey, naturalmente. Marcaba las ocho en punto.

—Me pregunto si habrán ido a buscarnos —comenté.

—Espero que no encuentren al rey —dijo Fritz con nerviosismo, y esta vez fue Sapt quien se encogió de hombros.

El viaje transcurrió sin incidentes y a las nueve y media vi por la ventanilla las torres y agujas de una gran ciudad.

—Vuestra capital, mi señor —indicó el viejo Sapt con un ademán, e inclinándose hacia delante me tomó el pulso—. Demasiado rápido —observó, en su tono gruñón.

—¡No soy de piedra! —exclamé yo.

—Lo conseguirá —me dijo, asintiendo con la cabeza—. El que parece de piedra es nuestro amigo Fritz. ¡Por el amor de Dios, hombre, anímese!

Fritz hizo lo que le ordenaban.

—Llegamos con una hora de adelanto —dijo Sapt—. Avisaremos de la llegada de vuestra majestad, pues allí aún no habrá nadie para recibirnos. Y mientras tanto...

—Mientras tanto —dije yo—, el rey debería tomar un buen desayuno.

El viejo Sapt se rió entre dientes y alargó la mano.

—Es usted un Elphberg, de pies a cabeza —declaró. Luego hizo una pausa y, mirándonos, añadió—: ¡Quiera Dios que esta noche sigamos con vida!

—¡Amén! —dijo Fritz von Tarlenheim.

El tren se detuvo. Fritz y Sapt se apearon de un salto, con la cabeza descubierta, y sujetaron la puerta para que yo pudiera salir. Yo tragué el nudo que tenía en la garganta, me coloqué firmemente el casco sobre la cabeza y (no me avergüenza decirlo) recé una corta oración a Dios. Después bajé al andén de la estación de Strelsau.

Al cabo de un momento todo era bullicio y confusión; hombres que se acercaban apresuradamente, con el sombrero en la mano, y volvían a alejarse con la misma rapidez; hombres que me conducían a la cantina; hombres que montaban a caballo y partían a toda velocidad hacia los cuarteles de las tropas, la catedral, la residencia del duque Michael. En el momento en que bebía la última gota de mi taza de café, las campanas de toda la ciudad empezaron a repicar alegremente, y los acordes de una banda militar y los vítores de la multitud llegaron a mis oídos.

¡El rey Rudolf V estaba en su amada ciudad de Strelsau! Y fuera gritaban:

—¡Dios salve al rey!

En la boca del viejo Sapt apareció una sonrisa.

—¡Que Dios los salve a ambos! —murmuró—. ¡Valor, amigo! —y noté la presión de su mano en mi rodilla.

# 5. LAS AVENTURAS DE UN ACTOR SUPLENTE

Seguido por Fritz von Tarlenheim y el coronel Sapt, salí al andén. Lo último que hice fue comprobar que mi revólver estuviera dispuesto y mi espada suelta en la vaina. Me esperaba un vistoso grupo de oficiales y altos dignatarios encabezado por un anciano alto, cubierto de medallas, y de porte militar. Llevaba la banda amarilla y roja de la Rosa Roja de Ruritania que, por cierto, también adornaba mi indigno pecho.

—El mariscal Starkencz —susurró Sapt, y supe que me hallaba en presencia del más famoso veterano del ejército ruritano.

Justo detrás del mariscal había un hombre bajo y enjuto, ataviado con un amplio manto negro y carmesí.

—El canciller del reino —susurró Sapt.

El mariscal me saludó con unas palabras de lealtad, y procedió a transmitirme una disculpa del duque de Strelsau. Al parecer, el duque había sufrido una repentina indisposición que le impedía venir a la estación, pero solicitaba permiso para esperar a su majestad en la catedral. Yo expresé mi pesar, acepté muy cortésmente las excusas del mariscal, y recibí los saludos de un gran número de distinguidos personajes. Ninguno demostró el menor recelo, y yo noté que recuperaba la serenidad y que los latidos de mi corazón se normalizaban. Pero Fritz aún estaba pálido, y le temblaba la mano como una hoja cuando la extendió para estrechar la del mariscal.

Después se formó la comitiva y nos dirigimos hacia la puerta de la estación. Allí monté mi caballo, mientras el mariscal sujetaba el estribo. Los dignatarios civiles se alejaron hacia sus carruajes, y yo empecé a cabalgar por las calles con el mariscal a mi derecha y Sapt (que, como mi primer ayudante de campo, tenía derecho a ese lugar) a mi izquierda. La ciudad de Strelsau consta de una parte antigua y otra nueva. Las anchas avenidas modernas y los barrios residenciales rodean las calles estrechas, tortuosas y pintorescas de la ciudad original. En los círculos exteriores viven las clases altas; en los interiores están situadas las tiendas; y, detrás de sus prósperas fachadas, se ocultan populosos pero miserables callejones y pasajes, donde habita una clase pobre, turbulenta y (en gran medida) criminal. Estas divisiones sociales y locales correspondían, como supe por los informes de Sapt, a otra división más importante para mí. La ciudad nueva era partidaria del rey; pero para la ciudad vieja Michael de Strelsau era una esperanza, un héroe y un ídolo.

La brillantez fue la nota dominante del recorrido por la avenida principal y la gran plaza, donde se levantaba el palacio real. Allí me encontraba rodeado por mis fervientes partidarios. Todas las casas estaban engalanadas con colgaduras rojas y adornadas con banderas y divisas. Las calles se hallaban bordeadas de tribunas, y yo las recorría, inclinándome hacia un lado y otro, bajo una lluvia de vítores, bendiciones y pañuelos que ondeaban al viento. Los balcones estaban llenos de damas elegantemente vestidas, que aplaudían, hacían reverencias y me lanzaban ardientes miradas. Un torrente de rosas rojas caía sobre mí; un capullo se enredó en la crin de mi caballo, y yo lo tomé y me lo prendí en la chaqueta. El mariscal sonrió sombríamente. Yo le había lanzado varias miradas furtivas, pero estaba demasiado impasible para revelarme si contaba o no con su simpatía.

—La rosa roja para los Elphberg, mariscal —dije jovialmente, y él asintió.

He escrito jovialmente, y debe parecer una palabra muy extraña. Pero la verdad es que estaba ebrio de excitación. En aquel momento creía, casi creía, que yo era de verdad el rey; y, con una expresión de gozoso triunfo, volví a levantar los ojos hacia los balcones colmados de bellezas..., entonces me sobresalté. Mirándome desde uno de ellos, con su hermoso rostro y su orgullosa sonrisa, estaba la dama que había sido mi compañera de viaje, Antoinette de Mauban; la vi sobresaltarse también a ella, sus labios se movieron, se inclinó hacia delante y me observó con atención. Yo, recobrándome, la miré a los ojos, mientras volvía a palpar mi revólver. Supongan que hubiera gritado: «¡Ese no es el rey!»

Seguimos adelante, y de pronto el mariscal se volvió, agitó la mano, y los coraceros nos rodearon, a fin de que la multitud no pudiera acercarse a mí. Estábamos abandonando mi distrito y entrando en el del duque Michael, y esta decisión del mariscal me reveló más claramente que las palabras cuál debía ser el estado de opinión en la ciudad. Pero si el destino me convertía en rey, lo mínimo que yo podía hacer era desempeñar airosamente ese papel.

—¿Por qué este cambio en el orden de la comitiva, mariscal? —le pregunté.

El mariscal se mordió el blanco bigote.

—Es más prudente, majestad —murmuró.

Tiré de las riendas.

—Ordene a los de delante que sigan cabalgando —dije— hasta que estén a cincuenta metros. Pero usted, mariscal, el coronel Sapt y el resto de la escolta esperen aquí hasta que yo haya avanzado cincuenta metros. Y encárguese de que nadie se acerque más a mí. Demostraré a mi pueblo que su rey confía en él.

Sapt me cogió del brazo. Yo me libré de él con una sacudida. El mariscal titubeó.

—¿Es que no me ha entendido? —dije; y él, volviendo a morderse el bigote, dio las órdenes pertinentes. Vi que el viejo Sapt sonreía disimuladamente, pero negó con la cabeza cuando lo miré. Si me hubieran matado en pleno día en las calles de Strelsau, la posición de Sapt habría sido difícil.

Quizá debería decir que iba vestido totalmente de blanco, a excepción de las botas. Llevaba un casco plateado con adornos dorados, y lucía la ancha banda de la Rosa sobre el pecho. Haría un pobre cumplido al rey si no dejase a un lado la molestia y admitiera que estaba muy elegante. Eso mismo pensó la gente; porque cuando, cabalgando solo, entré en las calles sucias, lóbregas y escasamente adornadas de la ciudad vieja, primero hubo un murmullo, después unos vítores y una mujer, desde la ventana de un mesón, gritó el viejo dicho local:

—¡Si es pelirrojo, tiene arrojo! —Al oírlo me eché a reír y me quité el casco para que viera el color de mi cabello y eso hizo que volviesen a vitorearme.

Era más interesante cabalgar solo, pues oía los comentarios de la multitud.

—Está más pálido de lo que acostumbra —dijo uno.

—Tú estarías todavía más pálido si vivieras como vive él —fue la irrespetuosa contestación.

—Es más corpulento de lo que creía —dijo otro.

—Así que, después de todo, tenía una buena mandíbula debajo de la barba —comentó un tercero.

—Sus retratos no le hacen justicia —declaró una hermosa muchacha, asegurándose de que yo la oyera. Sin duda era simple adulación.

Sin embargo, pese a estas muestras de aprobación e interés, la mayoría de la gente me recibió en silencio y con expresión malhumorada. El retrato de mi querido hermano adornaba la mayor parte de las ventanas, lo que constituía un saludo bastante irónico para un rey. Me alegré de que él no presenciara tan desagradable espectáculo. Era un hombre de genio muy vivo, y quizá no se lo hubiera tomado con tanta tranquilidad como yo.

Al fin llegamos a la catedral. Su gran fachada gris, embellecida por cientos de estatuas y con una de las puertas de roble más bellas de Europa, se alzaba por primera vez ante mí, y la repentina conciencia de mi audacia casi me abrumó. Cuando desmonté todo estaba borroso. Vi nebulosamente al mariscal y a Sapt, así como a la multitud de sacerdotes lujosamente vestidos que me esperaban. Seguía viendo borroso mientras avanzaba por la gran nave, con el sonido del órgano en mis oídos. No vi a la multitud que la llenaba, y apenas distinguí la majestuosa figura del cardenal cuando se levantó del trono arzobispal para recibirme. Sólo dos caras destacaron claramente, una junto a otra, ante mis ojos: la cara de una muchacha, pálida y hermosa, enmarcada por el espléndido cabello de los Elphberg (porque en una mujer es espléndido), y la cara de un hombre, cuyas rubicundas mejillas, cabello negro y ojos oscuros me revelaron que al fin estaba en presencia de mi hermano, Michael el Negro. Cuando él me vio sus rojas mejillas palidecieron de repente, y se le cayó el casco al suelo con estrépito. Creo que, hasta ese momento, no se dio cuenta de que el rey estaba verdaderamente en Strelsau.

De lo que sucedió a continuación no recuerdo nada. Me arrodillé ante el altar y el cardenal me ungió la cabeza. Luego me puse en pie, alargué la mano, tomé de las suyas la corona de Ruritania, la coloqué sobre mi cabeza y pronuncié el antiguo juramento del rey. Si fue en pecado, que Dios me perdone, pero recibí el Santo Sacramento delante de todos. Entonces el gran órgano empezó a sonar nuevamente, el mariscal ordenó a los heraldos que me proclamaran, y Rudolf V fue coronado rey. De esa solemne ceremonia cuelga ahora un excelente cuadro en mi comedor. El retrato del rey es muy bueno.

Luego la dama de pálido rostro y espléndido cabello, con dos pajes llevándole la cola, abandonó su lugar y se dirigió hacia mí. Y un heraldo gritó:

—¡Su alteza real la princesa Flavia!

Hizo una profunda reverencia, puso la mano bajo la mía, alzó mi mano y la besó. Por espacio de un instante no supe qué debía hacer. Después la atraje hacia mí, le di un beso en cada mejilla, y ella se sonrojó. Entonces su eminencia el cardenal arzobispo pasó por delante de Michael el Negro, me besó la mano y me entregó una carta del Papa, ¡la primera y última que he recibido jamás de tan relevante personaje!

Después vino el duque de Strelsau. Sus pasos eran vacilantes, y miraba a derecha e izquierda, como un hombre con intenciones de huir; tenía manchas rojas y blancas en la cara, le temblaba la mano que saltó bajo la mía, y noté que tenía los labios secos y agrietados. Miré a Sapt, que sonreía con disimulo, y cumpliendo resueltamente con mi deber en aquel puesto que me había tocado ocupar, abracé a mi querido Michael y le di un beso en la mejilla. ¡Creo que ambos nos alegramos cuando terminó todo!

Pero ni en la cara de la princesa ni en la de ningún otro observé la menor duda o extrañeza. No obstante, si el rey y yo hubiéramos estado juntos, ella nos habría identificado al instante o, al menos, tras un momento de reflexión. Pero ni ella ni nadie podía imaginarse que yo no era el rey. Así pues, el parecido bastó, y durante una hora permanecí allí, tan aburrido e indiferente como si hubiese sido rey durante toda mi vida. Todo el mundo me besó la mano, y los embajadores me presentaron sus respetos, entre ellos el viejo lord Topham, en cuya casa de Grosvenor Square yo había bailado una veintena de veces. Gracias a Dios, el anciano era más ciego que un topo y no me reconoció.

Después volvimos a recorrer las calles en dirección al palacio, y oí los vítores dirigidos a Michael el Negro; pero él, según me dijo Fritz, se limitó a morderse las uñas con aspecto reconcentrado, e incluso sus propios amigos comentaron que debería haber observado una actitud más digna. Entonces yo iba en un carruaje, al lado de la princesa Flavia, y un tosco individuo gritó:

—¿Cuándo es la boda? —y mientras hablaba otro le dio una bofetada, gritando: «¡Viva el duque Michael!» La princesa se ruborizó (su tez adquirió un tono admirable) y miró hacia delante.

Yo me encontré en un aprieto, pues había olvidado preguntar a Sapt el grado de mis relaciones con ella, o hasta dónde habían llegado las cosas entre la princesa y yo. Francamente, de haber sido el rey, cuanto más lejos hubieran llegado más complacido me habría sentido, porque no soy un hombre desapasionado, y no en vano había besado las mejillas de la princesa Flavia. Todos estos pensamientos pasaron por mi mente pero, inseguro del terreno que pisaba, no dije nada. Al cabo de unos momentos la princesa, recobrando su ecuanimidad, se volvió hacia mí.

—¿Sabes, Rudolf —dijo—, que hoy te encuentro distinto?

El hecho no era sorprendente, pero la observación resultaba inquietante.

—Pareces —continuó ella— mucho más serio, más sereno; das la impresión de estar casi agobiado e, indudablemente, más delgado. ¿Será posible que hayas empezado a tomarte algo en serio?

La princesa parecía tener del rey la misma opinión que lady Burlesdon tenía de mí.

Yo me apresté para la conversación.

—¿Te gustaría? —pregunté dulcemente.

—Oh, ya sabes lo que opino —dijo ella, desviando los ojos.

—Intento hacer todo lo que te gusta —declaré y, al verla sonreír y ruborizarse, pensé que estaba jugando la mano del rey a su entera conveniencia. De modo que proseguí y lo que dije fue totalmente cierto:

—Te aseguro, mi querida prima, que nada me ha impresionado más en mi vida que la recepción con la que hoy he sido agasajado.

Ella sonrió ampliamente, pero al cabo de un momento volvió a ponerse seria, y murmuró:

—¿Te has fijado en Michael?

—Sí —contesté, añadiendo—: no parecía divertirse mucho.

—¡Ten cuidado! —prosiguió ella—. Creo que no lo vigilas bastante. Sabes que...

—Sé —dije— que quiere lo que yo tengo.

—Sí. ¡Chist!

Entonces, y no puedo justificarlo, pues comprometí al rey mucho más de lo que debía (supongo que ella me hizo perder la cabeza) proseguí:

—Y quizá también algo que aún no tengo, pero que espero tener algún día.

Esta fue la contestación. Si yo hubiera sido el rey, la habría encontrado alentadora:

—¿No tienes bastantes responsabilidades para un solo día, primo?

¡Bang, bang! ¡Ta-ta, ta-ta! Habíamos llegado al palacio. Los cañones disparaban y las trompetas sonaban. Largas hileras de lacayos esperaban y, tras subir la ancha escalinata de mármol en compañía de la princesa, tomé posesión oficial, como rey coronado, de la casa de mis antepasados, y me senté a mi propia mesa, con mi prima a mi derecha, Michael el Negro a su lado, y su eminencia el cardenal a mi izquierda. Sapt se colocó detrás de mi silla, y al final de la mesa vi a Fritz von Tarlenheim vaciar su copa de champaña bastante antes de lo que habría debido.

Me pregunté qué estaría haciendo el rey de Ruritania.

# 6. EL SECRETO DE LA BODEGA

Fritz von Tarlenheim, Sapt y yo estábamos en el vestidor del rey. Yo me desplomé agotado en un sillón. Sapt encendió la pipa. No pronunció felicitación alguna por el maravilloso éxito de nuestra arriesgada aventura, pero todo él desbordaba una elocuente satisfacción. El triunfo, con la ayuda quizá del buen vino, había convertido a Fritz en un hombre nuevo.

—¡Qué buen recuerdo nos deja este gran día! —exclamó—. ¡Cuánto me gustaría a mí ser rey durante doce horas! Pero, Rassendyll, no debe tomar su papel tan en serio. No me extraña que Michael el Negro pareciera más negro que nunca; usted y la princesa han hablado mucho.

—¡Qué hermosa es! —dije yo.

—Olvídese de ella —gruñó Sapt—. ¿Está listo?

—Sí —contesté, con un suspiro.

Eran las cinco, y a las doce yo volvería a ser sólo Rudolf Rassendyll. Aludí a ello en tono jocoso.

—Será muy afortunado —observó sombríamente Sapt— si no es el último Rudolf Rassendyll. ¡Santo Cielo! Mientras usted esté en la ciudad no estamos seguros. ¿Sabe, amigo mío, que Michael ha recibido un mensaje de Zenda? Ha entrado en una habitación para leerlo a solas, y ha salido con el rostro descompuesto.

—Estoy listo —dije yo, esa noticia no acrecentaba mis deseos de quedarme.

Sapt se sentó.

—Tengo que escribir un permiso para abandonar la ciudad. Ya sabe que Michael es gobernador, y hemos de prever cualquier obstáculo. Usted lo firmará.

—¡Mi querido coronel, yo no soy un falsificador!

Sapt sacó un trozo de papel de su bolsillo.

—Aquí está la firma del rey —dijo—, y aquí —prosiguió, tras una nueva búsqueda por su bolsillo— una hoja de papel de calcar. Si no consigue escribir un «Rudolf» en diez minutos... lo haré yo.

—Su educación ha sido más amplia que la mía —observé—. Escríbalo usted.

Y fue una falsificación muy aceptable la que salió de su pluma.

—Ahora, Fritz —dijo—, el rey se va a la cama. Está cansado. Nadie debe verlo hasta mañana a las nueve. ¿Lo entiende? Nadie.

—Lo entiendo —contestó Fritz.

—Es posible que Michael se presente y exija una audiencia inmediata. Le responderá que sólo los príncipes de sangre real tienen derecho a ello.

—Eso molestará a Michael —rió Fritz.

—¿Lo ha entendido bien? —volvió a preguntar Sapt—. Si la puerta de esta habitación se abre mientras nosotros estamos fuera, no seguirá con vida para contárnoslo.

—No necesito instrucciones, coronel —dijo Fritz, con cierta altivez.

—Tenga, envuélvase en esta capa —continuó Sapt, dirigiéndose a mí—, y póngase esta gorra. Esta noche mi ordenanza me acompañará al pabellón de caza.

—Existe un obstáculo —declaré yo—. No hay caballo que puede llevarme cincuenta kilómetros seguidos.

—Oh, claro que sí, tenemos dos: uno aquí, y otro en el pabellón. Bien, ¿está listo?

—Estoy listo —contesté.

Fritz alargó la mano.

—Por si acaso —dijo, y nos estrechamos calurosamente la mano.

—¡Déjense de sentimentalismos! —gruñó Sapt—. Vámonos.

Se dirigió, no hacia la puerta, sino hacia un panel disimulado en la pared.

—En tiempos del viejo rey —explicó—, conocía muy bien este camino.

Yo lo seguí, y anduvimos cerca de doscientos metros por el estrecho pasadizo. Después llegamos a una maciza puerta de roble. Sapt la abrió con una llave. La franqueamos y nos encontramos en una tranquila calle que discurría junto a la parte trasera de los jardines del palacio. Un hombre nos esperaba con dos caballos. Uno era un magnífico bayo, capaz de soportar cualquier peso, y el otro un robusto alazán. Sapt me indicó que montara en el bayo. Sin intercambiar palabra alguna con el hombre, montamos y nos alejamos. La ciudad estaba animada y bulliciosa, pero nosotros tomamos calles apartadas. Yo me había puesto la capa de modo que me tapara la mitad de la cara, y la gorra ocultaba hasta el último mechón de mi cabello. A indicación de Sapt, me incliné sobre la silla, y cabalgué todo lo encogido que podía. Enfilamos un callejón largo y estrecho donde nos cruzamos con unos vagabundos y varios borrachos; mientras cabalgábamos, oímos el repique de las campanas de la catedral dando todavía la bienvenida al rey. Eran las seis y media, y aún había luz. Por fin llegamos a las murallas de la ciudad y a la puerta.

—Tenga el arma preparada —susurró Sapt—. Quizá debamos cerrarle la boca, si habla.

Coloqué la mano encima del revólver. Sapt llamó al portero. ¡Las estrellas nos ayudaron! Una niña de unos catorce años salió con rapidez.

—Por favor, señor, mi padre ha ido a ver al rey.

—Debería haberse quedado aquí —me dijo Sapt, sonriendo entre dientes.

—Pero me advirtió que no abriera la puerta, señor.

—¿De veras, pequeña? —dijo Sapt, desmontando—. Entonces dame la llave.

La niña tenía la llave en la mano. Sapt le dio una corona.

—Esto es una orden del rey. Enséñasela a tu padre. ¡Ordenanza, abra la puerta!

Salté al suelo. Entre los dos abrimos la gran puerta de hierro, sacamos los caballos y volvimos a cerrarla.

—Lo sentiré por el portero si Michael averigua que no estaba allí. Bueno, muchacho, a medio galope. No debemos ir demasiado rapido mientras estemos cerca de la ciudad.

Sin embargo, una vez fuera de la ciudad corríamos poco peligro, pues todo el mundo estaba dentro, divirtiéndose. Cuando oscureció apretamos el paso, sin que mi espléndido caballo pareciera acusar el menor esfuerzo. Hacía una noche muy hermosa, y la luna tardó en aparecer. Hablamos poco durante el camino, y principalmente sobre los progresos que hacíamos.

—Me pregunto qué decía el mensaje del duque —comenté.

—¡Sí, yo también me lo pregunto! —respondió Sapt.

Nos detuvimos a tomar una jarra de vino y abrevar los caballos, con lo cual perdimos media hora. Yo no me atreví a entrar en la posada, y me quedé en el establo con los animales. Después reanudamos la marcha, y habíamos cubierto unos cuarenta kilómetros, cuando Sapt se detuvo bruscamente.

—¡Escuche! —dijo.

Yo escuché. A lo lejos, en la quietud de la noche (sólo eran las nueve y media) se oían cascos de caballos. El viento, que soplaba con fuerza detrás de nosotros, nos traía el sonido. Miré a Sapt.

—¡Vamos! —exclamó él, poniendo su caballo al galope. Cuando volvimos a detenernos para escuchar, el sonido había cesado, y aflojamos el paso. Después lo oímos de nuevo. Sapt desmontó de un salto y pegó la oreja al suelo.

—Son dos —dijo—. Sólo están a un kilómetro de distancia. Gracias a Dios el camino tiene muchas curvas y el viento sopla a nuestro favor.

Seguimos galopando. No parecíamos perder terreno. Habíamos entrado en el lindero del bosque de Zenda y los árboles, que nos rodeaban por todas partes, nos impedían ver a nuestros perseguidores, y a ellos vernos a nosotros.

Al cabo de media hora más llegamos a una bifurcación. Sapt tiró de las riendas.

—El camino de la derecha es el nuestro —declaró—. El de la izquierda conduce al castillo. Tienen unos doce kilómetros cada uno. Desmonte.

—¡Nos darán alcance! —exclamé.

—¡Desmonte! —repitió con impaciencia; y yo obedecí. El bosque era muy frondoso hasta el mismo borde del camino. Pusimos nuestros caballos a cubierto, les tapamos los ojos con un pañuelo y permanecimos junto a ellos.

—¿Quiere ver quiénes son? —susurré.

—Quiénes son y a dónde van —contestó.

Vi que llevaba el revólver en la mano.

El ruido de cascos iba acercándose. La luna brillaba en todo su esplendor, de modo que el camino estaba bien iluminado. El terreno era duro, y no habíamos dejado huellas.

—¡Ahí vienen! —susurró Sapt.

—¡Es el duque!

—Ya lo suponía —contestó él.

Era el duque; y con él iba un corpulento individuo al que yo conocía bien; después él también me conocería a mí: era Max Holf, hermano de Johann el guardabosque, criado de su alteza. Habían llegado a nuestra altura; el duque tiró de las riendas. Vi que el dedo de Sapt se curvaba amorosamente hacia el gatillo. Creo que habría dado diez años de su vida por disparar; y podría haberle dado a Michael el Negro como a un pollo en un corral. Coloqué una mano sobre su brazo. El hizo una señal tranquilizadora; siempre estaba dispuesto a sacrificar sus inclinaciones en favor del deber.

—¿Hacia dónde vamos? —preguntó Michael el Negro.

—Hacia el castillo, alteza, —contestó su compañero—. Allí sabremos la verdad.

El duque titubeó un momento.

—Me ha parecido oír cascos de caballos —dijo.

—Creo que no, alteza.

—¿Por qué no vamos al pabellón?

—Temo una trampa. Si todo va bien, ¿por qué ir al pabellón? Si no, es que era una artimaña para atraparnos.

De repente el caballo del duque relinchó. Nosotros tapamos rápidamente la cabeza de los nuestros con las capas y, sujetándolos de ese modo, apuntamos al duque y a su ayudante con los revólveres. Si nos hubieran descubierto, habrían sido hombres muertos, o nuestros prisioneros.

Michael esperó unos momentos más. Después exclamó:

—¡A Zenda, pues! —y clavando espuelas a su caballo, se alejó a galope tendido.

Sapt siguió apuntándole, y su cara reflejaba tal expresión de pesar que casi no pude contener la risa.

Permanecimos donde estábamos durante diez minutos.

—Ya lo ha oído —dijo Sapt—; le han enviado el mensaje de que todo va bien.

—¿Qué significa eso? —pregunté yo.

—Quién sabe —contestó Sapt, frunciendo el ceño—. Pero es suficientemente importante para hacerlo venir desde Strelsau.

Después montamos, y cabalgamos tan rápidamente como permitía el cansancio de nuestros caballos. Durante estos últimos doce kilómetros no volvimos a hablar. La aprensión nos dominaba. «Todo va bien.» ¿Qué significaba eso? ¿Iba todo bien en lo que al rey se refería?

Al fin divisamos el pabellón. Espoleando a nuestros caballos en un último galope, nos dirigimos hacia la puerta. El silencio y la tranquilidad eran totales. Nadie salió a recibirnos. Desmontamos a toda prisa. De repente Sapt me agarró por un brazo.

—¡Mire esto! —dijo, señalando hacia el suelo.

Bajé los ojos. A mis pies había cinco o seis pañuelos de seda todos ellos hechos jirones. Me volví instintivamente hacia el coronel.

—Son los que he utilizado para atar a la anciana —dijo—. Amarre los caballos, y venga.

El pomo de la puerta giró sin oponer resistencia. Entramos en la habitación donde se había desarrollado la juerga de la noche anterior. Los restos de la cena y las botellas vacías aún estaban allí.

—Vamos —exclamó Sapt, que al fin empezaba a perder su maravillosa compostura.

Nos dirigimos al sótano a toda prisa. La puerta de la carbonera estaba abierta de par en par.

—Han encontrado a la mujer —dije yo.

—Eso ya debería haberlo supuesto al ver los pañuelos —replicó él.

Después llegamos frente a la puerta de la bodega. Estaba cerrada. Continuaba exactamente igual que cuando la dejamos aquella mañana.

—Bueno, todo va bien —dije.

Sapt profirió una maldición. Su rostro palideció, y volvió a señalar el suelo. Por debajo de la puerta una mancha roja se había extendido al suelo del pasillo y se había secado allí. Sapt se desplomó contra la pared opuesta. Yo intenté abrir la puerta. Estaba cerrada con llave.

—¿Dónde está Josef? —murmuró Sapt.

—¿Dónde está el rey? —dije yo.

Sapt sacó un frasco y se lo llevó a los labios. Yo corrí de nuevo al comedor, y cogí el atizador de la chimenea. Espoleado por el terror y la excitación, descargué golpe tras golpe sobre la cerradura de la puerta y disparé un cartucho contra ella. Al fin cedió, y la puerta se abrió.

—Tráigame una luz —pedí; pero Sapt seguía apoyado en la pared. Naturalmente, estaba más conmovido que yo, pues amaba a su señor. No temía por su persona (nadie podrá decir nunca tal cosa); pero imaginar lo que podía encontrarse en aquella oscura bodega era suficiente para hacer palidecer a cualquier hombre. Fui yo mismo, cogí un candelabro de plata que había sobre la mesa del comedor, encendí las velas y, cuando volvía, noté una gota de cera caliente sobre mi mano desnuda mientras la vela se tambaleaba; así que no puedo despreciar al coronel Sapt por estar tan inquieto.

Llegué a la puerta de la bodega. La mancha roja, que iba adquiriendo un tono marronoso, se extendía en el interior. Avancé un par de metros, y levanté la tela por encima de mi cabeza. Vi los barriles llenos de vino; vi arañas subiendo por las paredes; también vi un par de botellas vacías en el suelo; y después, en una esquina, vi el cuerpo de un hombre tendido boca arriba, con los brazos en cruz y un corte carmesí en la garganta. Me acerqué a él, me arrodillé a su lado, y encomendé a Dios el alma de un hombre leal. Porque era el cuerpo de Josef, el criado del rey, que había muerto defendiendo a su señor.

Noté que una mano se posaba sobre mi hombro y, al volverme, vi que Sapt, con los ojos desorbitados por el terror, se encontraba junto a mí.

—¿El rey? ¡Dios mío! ¿El rey? —susurró con voz ronca.

Paseé la tenue luz de la vela por todos los rincones de la bodega.

—El rey no está aquí —declaré.

# 7. SU MAJESTAD DUERME EN STRELSAU

Cogí a Sapt por la cintura, le ayudé a salir de la bodega y cerré la puerta a mi espalda. Durante más de diez minutos permanecimos sentados en el comedor, sin pronunciar una sola palabra. Después el viejo Sapt se frotó los ojos con los nudillos, suspiró profundamente y volvió a ser él mismo. Cuando el reloj de la repisa de la chimenea dio la una, descargó un puñetazo sobre la mesa y dijo:

—¡Tienen al rey!

—Sí —repuse—; tal como decía el mensaje de Michael el Negro, «todo va bien». ¡Qué mal momento ha debido pasar esta mañana al oír los cañonazos de bienvenida en Strelsau! Me pregunto cuándo habrá recibido el mensaje.

—Seguramente, esta mañana —contestó Sapt—. Deben haberlo enviado antes de que la noticia de nuestra llegada a Strelsau se supiera en Zenda; supongo que procedía de Zenda.

—¡Y ha resistido todo el día! —exclamé—. ¡Por mi honor que yo no he sido el único en tener un día difícil! ¿Qué debía pensar, Sapt?

—¿Qué importa eso? Qué piensa ahora, eso es lo que cuenta.

Me puse en pie.

—Tenemos que regresar —declaré—, y despertar a todos los soldados de Strelsau. Deberíamos emprender la persecución de Michael antes del mediodía.

El viejo Sapt sacó la pipa y la encendió pausadamente con la vela que goteaba sobre la mesa.

—¡El rey puede ser asesinado mientras estamos aquí! —me impacienté yo.

Sapt siguió fumando unos momentos en silencio.

—¡Esa maldita vieja! —exclamó—. Debe de haber atraído su atención de algún modo. Ahora lo veo todo con claridad. Han venido a secuestrar al rey y, como digo, lo han encontrado de algún modo. Si usted no hubiera ido a Strelsau, usted y yo y Fritz estaríamos ahora en el cielo.

—¿Y el rey?

—¿Quién sabe dónde está el rey ahora? —contestó él.

—¡De prisa, vámonos! —le dije; pero Sapt no se movió. De repente lanzó una de sus carcajadas:

—¡Qué mal día le hemos hecho pasar a Michael el Negro!

—¡Vamos, vamos! —repetí con impaciencia.

—Y le haremos pasar otros peores —añadió el coronel, esbozando una astuta sonrisa que distendió su cara arrugada, y mordisqueando un extremo de su bigote rosáceo—. Sí, amigo mío, regresamos a Strelsau. El rey volverá a estar en su capital mañana por la mañana.

—¿El rey?

—¡El rey coronado!

—¡Usted está loco! —exclamé.

—Si regresamos y confesamos nuestra estratagema, ¿qué daría usted por nuestras vidas?

—Ni más ni menos que lo que valen —contesté.

—¿Y por el trono del rey? ¿Cree que a los nobles y al pueblo les gustará haber sido engañados? Cree que amarán a un rey que estaba demasiado borracho para ser coronado y envió a un criado para sustituirlo?

—El estaba drogado... y yo no soy un criado.

—Le estoy dando la versión de Michael el Negro.

Se levantó, vino hacia mí, y puso una mano sobre mi hombro.

—Amigo mío —dijo—, si sigue desempeñando su papel, quizá aún pueda salvar al rey. Regrese y ocupe su lugar hasta que él mismo pueda hacerlo.

—Pero el duque lo sabe... los canallas que están a su servicio lo saben...

—¡Sí, pero no pueden hablar! —rugió Sapt con sombrío triunfo—. ¡Los tenemos atrapados! ¿Cómo van a delatarlo a usted sin delatarse a sí mismos? «Este no es el rey, porque nosotros hemos secuestrado al rey y asesinado a su criado.» ¿Acaso pueden decir tal cosa?

Entonces lo vi claro. Aunque Michael estuviera al corriente de la superchería, no podía hablar. Mientras no liberase al rey, ¿qué podía hacer? Y si liberaba al rey, ¿qué le ocurriría a él? Por espacio de un momento todo me pareció muy fácil, pero después adquirí conciencia de las dificultades.

—Acabarán desenmascarándome —declaré.

—Tal vez sí, pero cada hora vale la pena. Por encima de todo, debemos tener un rey en Strelsau, o la ciudad será de Michael en veinticuatro horas y, ¿qué valdrá la vida del rey... o su trono? ¡Amigo mío, tiene que hacerlo!

—¿Y si matan al rey?

—Lo matarán si usted no lo hace.

—Sapt, ¿y si ya han matado al rey?

—Entonces usted es tan Elphberg como Michael el Negro, y reinará en Ruritania. Pero no creo que lo hayan hecho; y no lo harán si usted ocupa el trono. ¿Acaso lo iban a matar para ponerlo a usted en su lugar?

Era un plan arriesgado, incluso más arriesgado y peligroso que la estratagema que ya habíamos llevado a cabo, pero mientras escuchaba a Sapt vi los puntos de apoyo de nuestro juego. Por otra parte, yo era un hombre joven y amaba la acción, y me estaban ofreciendo una mano en un juego al que tal vez ningún hombre había jugado todavía.

—Me desenmascararán —dije.

—Quizá sí —contestó Sapt—. ¡Vamos! ¡A Strelsau! ¡Nos atraparán como ratas en una trampa si permanecemos aquí!

—Sapt —exclamé—. ¡Lo intentaré!

—¡Muy bien! —repuso él—. Espero que nos hayan dejado los caballos. Iré a ver.

—Tenemos que enterrar a ese pobre hombre —dije.

—No hay tiempo —replicó Sapt.

—Lo haré yo.

—¡Maldito sea! —sonrió él—. Lo convierto en rey, y...Bueno, hágalo. Vaya a buscarlo, mientras yo me ocupo de los caballos. No podrá descansar a mucha profundidad, pero dudo que a él le importe ¡Pobre Josef! Era un hombre leal.

El coronel salió, y yo fui a la bodega. Cogí al pobre Josef en brazos, lo llevé al pasillo y desde ahí hacia la puerta de la casa. Antes de salir lo dejé en el suelo, pues recordé que debía buscar unas palas con las que cavar la tumba. En este momento entró Sapt.

—Los caballos están bien; uno de ellos es el hermano del que lo ha traído aquí. Pero puede ahorrarse el trabajo.

—No me iré hasta haberlo enterrado.

—Claro que se irá.

—Yo no, coronel Sapt; ni por toda Ruritania.

—¡No sea tonto! —replicó él—. Venga aquí.

Me arrastró hasta la puerta. La luna se ocultaba ya, pero a unos trescientos metros, acercándose por el camino de Zenda, distinguí a un grupo de hombres. Eran siete u ocho; cuatro iban a caballo y el resto a pie, y vi que llevaban al hombro largas herramientas, que supuse serían palas y picos.

—Ellos le ahorrarán la molestia—dijo Sapt—. Vámonos.

Tenía razón. Sin lugar a dudas los componentes del grupo debían ser hombres del duque Michael, que venían a borrar las huellas de su crimen. No vacilé, pero un deseo irresistible se adueñó de mí. Señalando el cadáver del pobre Josef, le dije a Sapt:

—¡Coronel, deberíamos hacer algo por él!

—Le gustaría que tuviera compañía, ¿eh? Pero es demasiado arriesgado, majestad.

—Tengo que darles su merecido —insistí.

Sapt titubeó.

—Bueno —dijo—, no es asunto nuestro, pero hoy se ha portado bien, y si fracasamos... ¡nos ahorraría muchos problemas! Sígame y los sorprenderemos.

Cerró cautelosamente la puerta.

Después atravesamos la casa y salimos por la puerta trasera. Nuestros caballos aguardaban allí. Un estrecho sendero daba la vuelta a todo el pabellón.

—¿Tiene el revólver preparado? —inquirió Sapt.

—No, usaré la espada —contesté.

—Veo que esta noche está sediento —rió Sapt—. Como usted prefiera.

Montamos, desenvainamos las espadas, y aguardamos en silencio durante uno o dos minutos. Después oímos los pasos de los hombres en el sendero, al otro lado de la casa. Se detuvieron y uno gritó:

—¡Vamos, id a buscarlo!

—¡Ahora! —susurró Sapt.

Espoleando a nuestros caballos, rodeamos la casa al galope, y al cabo de un momento estábamos entre los rufianes. Sapt me contó después que mató a un hombre, y yo le creo; pero no lo volví a ver. De un solo tajo, le corté la cabeza a un hombre que montaba un caballo pardo, y cayó al suelo. Después me encontré frente a un corpulento individuo, y fui semiconsciente de que había otro a mi derecha. Era demasiado arriesgado permanecer allí, y simultáneamente espoleé de nuevo mi caballo y hundí la espada en el pecho de aquel hombre. Su bala pasó rozándome la oreja; casi podría jurar que la tocó. Tiré de la espada, pero no salió, de modo que la solté y galopé en pos de Sapt, al que entonces divisé a unos veinte metros de distancia. Agité la mano en señal de despedida, y la bajé con un grito al cabo de un segundo pues una bala me había rozado un dedo y noté que sangraba. El viejo Sapt se volvió. Alguien disparó otra vez, pero no tenían rifles, y estábamos fuera de su alcance. Sapt se echó a reír.

—Con un poco de suerte, usted ha despachado a dos y yo a uno —dijo—. El pobre Josef tendrá compañía.

—Sí, serán una *partie carrée* —contesté. Me hervía la sangre, y me alegraba de haberlos matado.

—¡Bueno, ha sido una noche muy agradable! —exclamó él—. Me pregunto si lo habrán reconocido.

—El individuo corpulento, sí; al clavarle la espada lo he oído gritar: «¡El rey!»

—¡Vaya! ¡Vaya! ¡Le vamos a dar mucho trabajo a Michael el Negro antes de que todo esto termine!

Nos detuvimos un momento, e improvisamos un vendaje para mi dedo herido, que sangraba abundantemente y me dolía bastante, pues estaba muy magullado. Después reanudamos la marcha, exigiendo a nuestros caballos todo lo que podían dar. Cuando la excitación de la lucha y nuestro gran arrojo se desvanecieron, cabalgamos en un silencio sombrío. El amanecer del nuevo día fue claro y frío. Encontramos a un granjero recién levantado, que nos proporcionó alimentos para nosotros y los caballos. Yo, simulando un dolor de muelas, me tapé cuidadosamente la cara. Después seguimos cabalgando, hasta que Strelsau apareció ante nosotros. Eran las ocho o las nueve, y todas las puertas estaban abiertas, como era habitual, excepto cuando el capricho del duque o las intrigas las cerraban. Entramos por el mismo camino que habíamos tomado la noche anterior. Tanto los hombres como los caballos habíamos llegado al límite de nuestras fuerzas. En las calles reinaba incluso más tranquilidad que cuando nos fuimos; todo el mundo estaba durmiendo tras la juerga de la noche anterior, y apenas vimos a nadie hasta llegar a la puerta trasera del palacio. Allí nos esperaba el viejo criado de Sapt.

—¿Todo va bien, señor? —preguntó.

—Todo bien —dijo Sapt, y el hombre, acercándose a mí, me cogió la mano para besármela.

—¡El rey está herido! —exclamó.

—No es nada —dije yo, desmontando—; me he pillado el dedo en la puerta.

—Recuerda... ¡silencio! —advirtió—. ¡Ah, pero mi buen Freyler, no necesito decírtelo!

El anciano se encogió de hombros.

—A todos los jóvenes les gusta salir a divertirse de vez en cuando. ¿Por qué no al rey? —dijo; y la risa de Sapt nos evitó tener que contestar.

—Siempre hay que confiar en alguien —comentó Sapt, metiendo la llave en la cerradura—, hasta un cierto límite.

Entramos y nos dirigimos hacia el gabinete del rey. Abriendo la puerta de par en par, vimos a Fritz von Tarlenheim echado, totalmente vestido, en el sofá. Parecía haber estado durmiendo, pero nuestra entrada lo despertó. Se levantó de un salto, me miró, y con una gozosa exclamación, se hincó de rodillas ante mí.

—¡Gracias a Dios, majestad! ¡Gracias a Dios, estáis a salvo! —dijo, alargando la mano para coger la mía.

Confieso que me emocioné. Este rey, cualesquiera que fuesen sus defectos, sabía hacerse querer. Por espacio de un momento no tuve valor para hablar o romper la ilusión del pobre muchacho. Pero el viejo Sapt no sabía de tales delicadezas. Se dio una palmada en el muslo con evidente satisfacción.

—¡Bravo, amigo! —exclamó—. ¡Lo conseguiremos!

Fritz alzó los ojos con estupefacción. Yo alargué la mano.

—¡Estáis herido, majestad! —exclamó.

—Sólo es un rasguño —contesté—, pero... —hice una pausa.

Fritz se levantó perplejo. Con mi mano en la suya, me miró de arriba abajo. Después me soltó repentinamente la mano y dio un paso atrás.

—¿Dónde está el rey? ¿Dónde está el rey? —exclamó.

—¡Chist, insensato! —siseó Sapt—. ¡No grite! ¡El rey está aquí!

En ese momento llamaron a la puerta. Sapt me agarró por una mano.

—¡De prisa, vaya al dormitorio! Quítese la gorra y las botas, métase en la cama y tápese hasta la barbilla.

Así lo hice. Al cabo de un momento Sapt asomó la cabeza, asintió, sonrió e introdujo a un joven caballero extremadamente elegante y respetuoso, que se acercó a mi cama, inclinándose una y otra vez, y me dijo que pertenecía a la casa de la princesa Flavia, y que su alteza real lo había enviado especialmente para preguntar cuál era el estado del rey tras las fatigas a que su majestad se había visto sometido el día anterior.

—Dé mis más expresivas gracias a mi prima, señor —repuse yo—, y diga a su alteza real que nunca en mi vida he estado mejor.

—El rey —añadió el viejo Sapt (que, según yo empezaba a descubrir, disfrutaba mintiendo)—, ha dormido toda la noche de un tirón.

El joven caballero (que me recordó a Osric, de *Hamlet*) salió haciendo continuas reverencias. La farsa había terminado, y el pálido rostro de Fritz von Tarlenheim nos devolvió a la realidad; aunque, en verdad, ahora la farsa tenía que ser realidad para nosotros.

—¿Acaso ha muerto el rey? —susurró.

—Dios quiera que no —dije yo—. ¡Pero está en manos de Michael el Negro!

# 8. UNA PRIMA RUBIA Y UN HERMANO MORENO

La vida de un verdadero rey quizá sea difícil, pero la de un falso rey lo es, sin duda alguna, mucho más. Al día siguiente, Sapt me instruyó sobre mis deberes, lo que debía hacer y lo que debía saber, durante tres horas; luego desayuné, con Sapt todavía frente a mí, diciéndome que el rey siempre tomaba vino blanco por la mañana y odiaba los platos demasiado condimentados. Después llegó el canciller, y pasé otras tres horas con él; tuve que explicarle que la herida de mi dedo (sacamos provecho de aquella bala) me impedía escribir, lo que ocasionó una gran conmoción, búsqueda de antecedentes y demás, cuyo resultado fue que yo «hiciera mi marca» y el canciller la certificara con una superabundancia de solemnes juramentos. Luego introdujeron al embajador francés, que me presentó sus credenciales; mi ignorancia en este caso no tenía importancia, pues el rey habría sido igualmente inexperto al respecto (durante los días siguientes recibimos a todo el *corps diplomatique*, pues la transmisión de la corona exigía estos formulismos).

Después, por fin me dejaron en paz. Llamé a mi nuevo criado (para suceder al pobre Josef habíamos escogido a un joven que no conocía al rey), tomé un coñac con soda y comenté a Sapt que ahora confiaba en poder descansar un poco.

Fritz von Tarlenheim también se hallaba presente.

—¡Santo cielo! —exclamó—. Esto es una pérdida de tiempo. ¿Es que no vamos a ocuparnos de Michael el Negro?

—Poco a poco, hijo mío, poco a poco —repuso Sapt, frunciendo el entrecejo—. Sería un placer, pero podría costarnos muy caro. ¿Cree que Michael caería sin matar antes al rey?

—Además —sugerí yo—, mientras el rey esté en Strelsau, sentado en su trono, ¿qué quejas puede tener contra su querido hermano Michael?

—Entonces, ¿no vamos a hacer nada?

—No vamos a hacer ninguna tontería —gruñó Sapt.

—De hecho, Fritz —intervine yo—, esto me recuerda una escena de una de nuestras obras inglesas, *El crítico*; ¿la conoce? O, si lo prefiere, a dos hombres que se apuntan mutuamente con un revólver. Porque yo no puedo desenmascarar a Michael sin desenmascararme a mí mismo...

—Y al rey —terció Sapt.

—Y si Michael me acusa a mí, se estará acusando a sí mismo.
—Una situación muy interesante —dijo el viejo Sapt.
—Si me descubren —proseguí—, lo confesaré todo, y lo decidiré enfrentándome al duque; pero ahora estoy esperando que él dé el primer paso.
—Matará al rey —auguró Fritz.
—No lo hará —repuso Sapt.
—La mitad de los Seis están en Strelsau —dijo Fritz.
—¿Sólo la mitad? ¿Está seguro? —inquirió Sapt con ansiedad.
—Sí... Sólo la mitad.
—¡Eso significa que el rey está vivo, pues los otros tres estarán custodiándolo! —exclamó Sapt.
—¡Sí... tiene razón! —dijo Fritz, animándose—. Si el rey estuviese muerto y enterrado, estarían todos aquí con Michael ¿Sabe que Michael ha vuelto, coronel?
—¡Lo sé, maldito sea!
—Caballeros, caballeros —dije yo—, ¿quiénes son los Seis?
—Creo que no tardará en conocerlos —repuso Sapt—. Son seis caballeros que Michael mantiene a su servicio; le pertenecen en cuerpo y alma. Hay tres ruritanos, un francés, un belga y un compatriota de usted.
—Todos ellos cortarían el cuello a cualquiera si Michael se lo ordenara —dijo Fritz.
—Quizá me lo corten a mí —sugerí.
—Nada más probable —convino Sapt—. ¿Quiénes son los que están aquí, Fritz?
—De Gautet, Bersonin y Detchard.
—¡Los extranjeros! Está más claro que el agua. Los ha traído a ellos, y ha dejado a los ruritanos con el rey, porque quiere comprometerlos todo lo que pueda.
—Así pues, ¿no había ninguno entre nuestros amigos del pabellón? —pregunté.
—Ojalá hubiera sido así —contestó Sapt con tristeza—. En ese caso, ahora serían cuatro en vez de seis.
Yo ya había adquirido un atributo de la realeza: el convencimiento de que no necesitaba revelar todos mis pensamientos o designios secretos ni a mis amigos íntimos. Me había trazado una línea de conducta. Quería llegar a ser tan popular como pudiera, y al mismo tiempo no demostrar antipatía por Michael. Por estos medios confiaba en mitigar la hostilidad de sus partidarios y dar la impresión, si se producía un enfrentamiento abierto, de que era un desagradecido y no un oprimido.
Sin embargo, un enfrentamiento abierto no era lo que yo deseaba. Los intereses del rey exigían secreto; y mientras el secreto dura-

se, yo tenía un importante papel que desempeñar en Strelsau. ¡Ese tiempo no debía redundar en beneficio de Michael!

Pedí mi caballo y, en compañía de Fritz von Tarlenheim, cabalgué por la nueva avenida del parque real, devolviendo todos los saludos que recibí con puntillosa cortesía. Después recorrí unas cuantas calles, y me detuve a comprar flores a una hermosa muchacha, pagándoselas con una pieza de oro; luego, habiendo atraído la atención deseada (pues llevaba un cortejo de medio millar de personas), me dirigí hacia la residencia de la princesa Flavia, y pedí ser recibido por ella. Este paso despertó mucho interés, y fue acogido con gritos de aprobación. La princesa era muy popular, y el mismo canciller no había dudado en insinuarme que cuanto más asiduamente la cortejara, y más rápidamente obtuviera su mano, mayor sería el afecto de mis súbditos. Como es natural, el canciller ignoraba las dificultades que ocasionaría la puesta en práctica de su leal y excelente consejo. Sin embargo, yo consideré que no había nada malo en una visita, y esta vez Fritz me apoyó con una cordialidad que me sorprendió, hasta que me confesó que él también tenía sus motivos para querer ir a la casa de la princesa, que no eran otros que el deseo de ver a la dama de compañía e íntima amiga de la princesa, la condesa Helga von Strofzin.

La etiqueta secundó las esperanzas de Fritz. Mientras yo era introducido en la habitación de la princesa, él se quedó con la condesa en la antesala. A pesar de las personas y criados que rondaban por allí estoy seguro de que lograron celebrar un *tête-à-tête*; pero no tuve tiempo de pensar en ellos, pues necesitaba toda mi concentración para salir airoso de mi difícil cometido. Tenía que fomentar la lealtad de la princesa y, al mismo tiempo, su indiferencia; tenía que demostrarle amor, y no sentirlo. Tenía que cortejarla para otro; y a una muchacha que era la más hermosa, princesa o no, que yo había visto jamás. Comoquiera que fuese, me dispuse a realizar la tarea, que no facilitó la encantadora turbación con que fui recibido. Ahora explicaré cómo conseguí llevar a cabo mi programa.

—Os estáis cargando de laureles —dijo ella—. Sois como el príncipe de Shakespeare que se transformó al convertirse en rey. Pero yo no olvido que sois el rey, majestad.

—Te pido que sólo digas lo que te dicte tu corazón, y no me llames más que por mi nombre.

Me miró un momento.

—Entonces, estoy contenta y orgullosa, Rudolf —declaró—. Como te dije, incluso tu cara ha cambiado.

Agradecí el cumplido, pero me desagradó el tema, de modo que comenté:

—Tengo entendido que mi hermano ha regresado. Salió de excursión, ¿verdad?

—Sí, está aquí —repuso ella, frunciendo ligeramente el ceño.

—Al parecer, no puede estar mucho tiempo lejos de Strelsau —Observé, sonriendo—. Bueno, todos nos alegramos de verlo. Cuando más cerca esté, mejor.

La princesa me miró con un destello de diversión en los ojos.

—¿Por qué, primo? ¿Es que así puedes...?

—¿Ver mejor lo que está haciendo? Quizá sí —dije yo—. ¿Por qué te alegras tú?

—Yo no he dicho que me alegre —contestó.

—Hay gente que lo dice por ti.

—Hay muchas personas insolentes —replicó ella, con deliciosa altivez.

—¿Insinúas tal vez que yo soy una de ellas?

—Vuestra majestad no podría serlo —dijo ella, inclinándose con fingida deferencia, pero añadiendo maliciosamente, tras una pausa—: a menos que... es decir...

—Bueno, a menos que ¿qué?

—A menos que digas que me importa algo dónde esté el duque de Strelsau.

Verdaderamente, me habría gustado ser el rey.

—¿No te importa dónde está el primo Michael?

—¡Ah, el primo Michael! Yo lo llamo el duque de Strelsau.

—¿Lo llamas Michael cuando lo ves?

—Sí... por órdenes de tu padre.

—Comprendo. Y ahora, ¿por órdenes mías?

—Si ésas son tus órdenes.

—¡Oh, por supuesto! Todos debemos ser amables con nuestro querido Michael.

—También me ordenas recibir a sus amigos, ¿no es así?

—¿A los Seis?

—¿Tú también los llamas así?

—Para estar al día. Pero te ordeno no recibir a nadie que tú no desees.

—¿Excepto a ti?

—Respecto a mí sólo te lo ruego. No podría ordenártelo.

Mientras hablaba, se oyeron unos vítores en la calle. La princesa corrió hacia la ventana.

—¡Es él! —exclamó—. ¡Es... el duque de Strelsau!

Sonreí, pero no dije nada. Ella volvió a su asiento. Guardamos silencio durante varios minutos. El ruido del exterior cesó, pero oí unas pisadas en la antesala. Empecé a hablar de cosas generales. Continué así unos minutos. Luego me pregunté qué habría sido de Michael, pero no me pareció oportuno intervenir.

De repente, con gran sorpresa por mi parte, Flavia unió las manos y me preguntó con voz agitada:

—¿Quieres conseguir que se enfade?

—¿Qué? ¿Quién? ¿Cómo voy a conseguir que se enfade?

—Pues... haciéndolo esperar.

—Mi querida prima, yo no quiero hacerlo....

—Entonces, ¿puede entrar?

—Naturalmente, si tú lo deseas.

Me miró con curiosidad.

—¡Qué raro eres! —dijo—. Ya sabes que nadie puede ser anunciado mientras yo esté contigo.

—¡Esta sí que era una encantadora prerrogativa de la realeza!

—¡Una norma estupenda! —exclamé—. Pero la había olvidado por completo. Y si yo estuviera solo con otra persona, ¿no podrías ser anunciada?

—Lo sabes tan bien como yo. Podría serlo, porque yo soy de sangre real —y todavía parecía desconcertada.

—Nunca he podido recordar todas esas reglas tontas —me disculpé yo, sin demasiada convicción, mientras maldecía interiormente a Fritz por no haberme advertido—. Pero repararé mi falta.

Me levanté de un salto, abrí la puerta, y salí a la antesala. Michael estaba sentado junto a una mesa, con el ceño fruncido. Todos los demás se hallaban de pie, salvo el imprudente de Fritz que estaba cómodamente arrellanado en un sillón y charlaba con la condesa Helga. Se levantó en cuanto entré, con una deferente presteza que compensó su indiferencia anterior. No me habría extrañado que al duque le desagradara el joven Fritz.

Alargué la mano, Michael la tomó y lo abracé. Después lo empujé hacia la habitación contigua.

—Hermano —dije—, si hubiera sabido que estabas aquí, no hubiera tardado ni un momento en pedir permiso a la princesa para hacerte entrar.

Me dio las gracias, pero con frialdad. Tenía muchas cualidades, pero no podía ocultar sus sentimientos. Cualquiera se habría dado cuenta de que me odiaba, y todavía odiaba más verme con la princesa Flavia; sin embargo, estoy persuadido de que intentó disimular sus sentimientos y, lo que es más, persuadirme de que creía que yo era verdaderamente el rey. Por supuesto, yo no lo sabía, pero, a menos que el rey fuese un impostor, a la vez más listo y más audaz que yo (y yo empezaba a tener muy buen concepto de mí mismo en ese aspecto), Michael no podía creer tal cosa. Y, si no lo creía, ¡cuánto debía costarle rendirme homenaje, y oírme decir «Michael» y «Flavia»!

—Tenéis una herida en la mano, majestad —observó con inquietud.

—Sí, estaba jugando con un chucho (me propuse fastidiarlo un poco), y ya sabes, hermano, que algunos tienen un carácter imprevisible.

Sonrió sarcásticamente, y sus ojos negros se posaron un momento sobre mí.

—Pero, ¿no puede derivarse algún peligro de la mordedura? —inquirió Flavia con ansiedad.

—De ésta, no —repuse—. Si le diera la oportunidad de morder con más fuerza, sería distinto prima.

—Supongo que lo habrás matado —dijo ella.

—Aún no. Estamos esperando a ver si su mordedura es peligrosa.

—¿Y si lo es? —preguntó Michael, con su agria sonrisa.

—Lo aniquilaré, hermano —contesté.

—No volverás a jugar con él, ¿verdad? —me instó Flavia.

—Quizá sí.

—Podría morderte otra vez.

—Seguro que lo intentará —repliqué yo, sonriendo.

Después, temeroso de que Michael dijera algo por lo que yo debiese mostrarme agraviado (pues, aunque le estuviera revelando mi odio, debía aparentar una gran indulgencia), empecé a felicitarlo por las magníficas condiciones de su regimiento, y por su leal saludo el día de mi coronación. Luego me lancé a una entusiasta descripción del pabellón de caza que me había prestado. Pero él se puso súbitamente en pie. Empezaba a perder la calma, y con una disculpa, se despidió. Sin embargo, al llegar a la puerta se detuvo y dijo:

—Tres amigos míos desean tener el honor de conoceros, majestad. Están aquí en la antesala.

Fui hacia él sin vacilar, y lo tomé del brazo. La expresión de su cara constituyó un deleite para mí. Entramos en la antesala de este modo tan fraternal. Michael hizo una seña, y tres hombres se adelantaron.

—Estos caballeros —dijo Michael, con una solemne cortesía que, para hacerle justicia, podía adoptar con perfecta gracia y desenvoltura— son los servidores más leales y fervientes de vuestra majestad, y mis fieles y queridos amigos.

—Por ambas razones —repuse—, me complace mucho verlos.

Se acercaron uno a uno y me besaron la mano. De Gautet era un individuo alto y delgado, con el cabello erizado y un bigote engominado; Bersonin, el belga, un hombre corpulento, de mediana estatura y totalmente calvo (aunque no pasaba de los treinta); y por fin, el inglés, Detchard, un sujeto de cara alargada, corto cabello rubio y tez bronceada, era un hombre de complexión atlética, ancho de hombros y estrecho de caderas. Lo clasifiqué en seguida como un buen luchador, pero una mala persona. Le hablé en inglés, con un ligero acento extranjero, y podría jurar que el tipo sonrió, aunque ocultó inmediatamente la sonrisa.

«Así que el señor Detchard está en el secreto», pensé.

Cuando me hube librado de mi querido hermano y sus amigos, volví a despedirme de mi prima. La encontré junto a la puerta y le tomé la mano entre las mías.

—Rudolf —murmuró—, tendrás cuidado, ¿verdad?

—¿De qué?

—Ya lo sabes... no puedo decirlo. Pero piensa en lo que tu vida significa para...

—Bueno, para...

—Para Ruritania.

¿Hice bien en seguir desempeñando mi papel, o hice mal? No lo sé; estaba jugando con fuego, y no me atreví a revelarle la verdad.

—¿Sólo para Ruritania? —pregunté dulcemente.

Un súbito rubor tiñó su incomparable rostro.

—Para tus amigos, también —dijo.

—¿Amigos?

—Y para tu prima —susurró—, y amante servidora.

No pude hablar. Le besé la mano, y salí maldiciéndome a mí mismo.

Fuera encontré a Fritz, totalmente ajeno a los criados, arrullando a la condesa Helga.

—¡Maldita sea! —exclamó—. No podemos estar siempre conspirando. El amor reclama su parte.

—Me inclino a pensar que así es —contesté yo, y Fritz, que iba a mi lado, se colocó respetuosamente detrás de mí.

# 9. UN NUEVO USO PARA UNA MESA DE TE

Si especificara los acontecimientos ordinarios de mi vida diaria de esta época, podrían resultar instructivos para quienes no estén familiarizados con la rutina palaciega; si revelara algunos de los secretos que me fueron confiados, podrían resultar interesantes para los estadistas de Europa. No me propongo hacer ninguna de las dos cosas. Estaría entre el Escila de la monotonía y el Caribdis de la indiscreción, y creo que es mejor limitarme estrictamente al drama que se desarrollaba detrás de la política ruritana. Sólo necesito decir que el secreto de mi impostura corrió peligro de ser descubierto. Cometí errores. Tuve malos momentos. Fue necesario todo el tacto y la afabilidad, en los que yo era un maestro, para suavizar algunos aparentes deslices de memoria y desatenciones con viejos conocidos de los que fui culpable. Pero me salvé, y tal como he dicho antes, atribuyo mi salvación, por encima de todo, a la misma audacia de la empresa. Creo que, dado el necesario parecido físico, fue mucho más fácil hacerme pasar por el rey de Ruritania que personificar a cualquiera de mis vecinos.

Un día Sapt entró en mi habitación y me alargó una carta diciendo:

—Es para usted... Letra de mujer, si no me equivoco. Pero primero tengo que darle una noticia.

—¿De qué se trata?

—El rey está en el castillo de Zenda —dijo.

—¿Cómo lo sabe?

—Porque la otra mitad de los Seis de Michael están aquí. He hecho averiguaciones, y todos están aquí: Lauengram, Krafstein, y el joven Rupert Hentzau. Tres canallas como no hay otros en Ruritania.

—¿Y qué?

—Bueno, Fritz quiere que marche hacia el castillo con la caballería, la infantería y la artillería.

—¿Y que deseque el foso? —pregunté.

—Más o menos —sonrió Sapt—. Pero así no encontraríamos al rey.

—¿Seguro que lo tienen allí?

—Probablemente. Aparte de que esos tres se encuentren aquí, el puente levadizo siempre está levantado, y nadie puede entrar sin una orden del joven Hentzau o de Michael el Negro en persona. Tenemos que contener a Fritz.

—Iré a Zenda —declaré.

—Está loco.

—Algún día.

—Oh, quizá. Sin embargo, es muy posible que se quede allí, si lo hace.

—Tal vez sí, amigo mío —repuse con despreocupación.

—Vuestra majestad parece malhumorado —observó Sapt—. ¿Cómo van sus asuntos amorosos?

—¡Cállese de una vez, maldita sea! —exclamé yo.

Me miró un momento, y después encendió la pipa. Era cierto que yo estaba de malhumor, y continué furioso:

—Adondequiera que voy, media docena de hombres me siguen con disimulo.

—Ya lo sé; los envío yo —contestó él con serenidad.

—¿Para qué?

—Bueno —dijo Sapt, lanzando una bocanada de humo—, a Michael el Negro no le importaría nada que usted desapareciera. Con usted fuera de circulación, podría llevar a cabo el plan que nosotros desbaratamos... o lo intentaría.

—Sé cuidar de mí mismo.

—De Gautet, Bersonin y Detchard están en Strelsau; y cualquiera de ellos, muchacho, le cortaría el cuello tan gustosamente... tan gustosamente como yo el de Michael el Negro, y de un modo mucho más alevoso. ¿De quién es la carta?

La abrí y leí en voz alta:

Si el rey desea saber algo que le interesa mucho, debe seguir las indicaciones de esta carta. Al final de la Nueva Avenida se levanta una casa con un gran jardín. La casa tiene un pórtico con la estatua de una ninfa. El jardín está rodeado por un muro; en la parte posterior hay una puerta. A las doce de esta noche, si el rey entra solo por esa puerta, gira a la derecha, y anda veinte metros, encontrará una glorieta a la que se accede por un tramo de escalones. Si los sube y entra, hallará a una persona que le explicará algo de gran importancia para su vida y su trono. Quien escribe esto es una amiga leal. Debe ir solo. Si rechaza la invitación, su vida correrá peligro. No debe enseñar esta carta a nadie, o dañará a una mujer que le ama. Michael el Negro no perdona.

—No —observó Sapt, cuando terminé de leer, pero dicta unas cartas muy bonitas.

Yo había llegado a la misma conclusión y estaba a punto de tirar la carta, cuando vi que continuaba en la otra cara.

—¡Espere! Hay más.

«Si duda —proseguía la misiva—, consulte al coronel Sapt...»

—Eh —exclamó ese caballero, verdaderamente asombrado—. ¿Es que me considera más tonto que usted?

Le hice señas de que guardara silencio.

Pregúntele qué mujer daría más por evitar que el duque se casara con su prima, y por lo tanto, por evitar que se convirtiera en rey. Y pregúntele si su nombre empieza por A.

Yo me levanté de un salto. Sapt dejó la pipa.

—¡Santo cielo, es Antoinette de Mauban! —exclamé.

—¿Cómo lo sabe? —preguntó Sapt.

Le expliqué lo que sabía de la dama, y cómo lo sabía. El asintió.

—Todo parece indicar que ha tenido una trifulca con Michael —declaró pensativo.

—En este caso, podría resultarnos muy útil —dije yo.

—Sin embargo, yo creo que Michael ha escrito esta carta.

—Yo también, pero me propongo cerciorarme. Iré, Sapt.

—No, iré yo —replicó el coronel.

—Usted puede ir hasta la puerta.

—Iré hasta la glorieta.

—¡Ni hablar!

Me levanté y apoyé la espalda contra la repisa de la chimenea.

—Sapt, confío en esa mujer, e iré.

—Yo no confío en ninguna mujer —manifestó Sapt—, y no lo dejaré ir.

—O voy a la glorieta o regreso a Inglaterra —dije.

Sapt empezaba a saber exactamente hasta dónde podía guiarme, y cuándo debía seguirme.

—Estamos actuando contra reloj —añadí—. Cada día que dejamos al rey donde está, el riesgo es mayor. Cada día que me hago pasar por él, el riesgo es mayor. Sapt, tenemos que jugarnos el todo por el todo.

—De acuerdo, usted gana —contestó con un suspiro.

Para no alargarme demasiado, a las once y media de aquella noche Sapt y yo montamos a caballo. Fritz volvió a quedarse de guardia sin saber a dónde nos dirigíamos. Hacía una noche muy oscura. Yo no llevaba espada pero había cogido un revólver, un cuchillo largo y una linterna de ojo de buey. Llegamos a la puerta del muro. Desmonté. Sapt alargó la mano.

—Esperaré aquí —dijo—. Si oigo un disparo, iré a...

—Quédese donde está. Es la única posibilidad que tiene el rey. Sería horrible que también usted sufriese una desgracia.

—Tiene razón. ¡Buena suerte!

Empujé la puerta. Cedió, y me encontré en un jardín lleno de maleza. Había un sendero cubierto de hierba y, girando hacia la derecha como me habían indicado, lo seguí cautelosamente. Llevaba la linterna apagada y el revólver en la mano. No oí el menor ruido. A los pocos momentos vi un gran objeto oscuro que se alzaba frente a mí. Era la glorieta. Llegué a los escalones, los subí, y me encontré ante una desvencijada puerta de madera. La abrí y entré. Una mujer me agarró la mano.

—Cierre la puerta —susurró.

Yo obedecí y encendí la linterna para verla mejor. Llevaba un elegante vestido de noche, y su belleza morena destacaba espléndidamente a la luz del ojo de buey. La glorieta era una pequeña habitación amueblada tan sólo con un par de sillas y una mesita de hierro, como las que suele haber en un jardín o un café al aire libre.

—No hable —dijo—. No tenemos tiempo. ¡Escuche! Yo lo conozco, señor Rassendyll. Escribí esa carta por orden del duque.

—Lo imaginaba —contesté.

—Dentro de veinte minutos vendrán tres hombres con intención de matarlo.

—Tres... ¿los tres?

—Sí. Tiene que haberse marchado cuando lleguen. Si no, lo matarán.

—Quizás los mate yo a ellos.

—¡Escuche, escuche! Cuando lo maten, su cuerpo será llevado a un barrio bajo de la ciudad. Lo encontrarán allí. Michael arrestará inmediatamente a todos sus amigos —el coronel Sapt y el capitán von Tarlenheim serán los primeros—, proclamará el estado de sitio en Strelsau y enviará un mensajero a Zenda. Los otros tres matarán al rey en el castillo, y el duque se proclamará a sí mismo o a la princesa, si tiene la suficiente valentía. De todos modos, se casará con ella, y de hecho será el rey, y pronto lo será también de nombre. ¿Lo entiende?

—Es un bonito plan. Pero, *madame*, ¿por qué hace usted...?

—Digamos que soy cristiana... o celosa. ¡Dios mío! ¿Cree que me gustaría ver cómo se casa con ella? Ahora váyase; pero recuerde que nunca, esto es lo que quería decirle, ni de día ni de noche, estará a salvo. Tres hombres lo siguen para protegerlo, ¿no es verdad? Pues bien, otros tres los siguen a ellos. Los tres de Michael nunca están a más de doscientos metros de usted. Su vida no valdrá nada si alguna vez llegan a encontrarlo solo. Ahora váyase. Espere, la puerta del muro ya debe estar vigilada. Salga sin hacer ruido, siga recto unos cien metros y verá una escalera apoyada en el muro. Sáltelo, y huya tan de prisa como pueda.

—¿Y usted? —pregunté.

—Yo también tengo un papel que desempeñar. Si él descubre lo que he hecho, no volveremos a vernos. Si no, todavía es posible que... Pero no importa. Márchese en seguida.

—Pero, ¿qué le va a decir?

—Que usted no ha venido... que adivinó la jugada.

Le cogí la mano y se la besé.

—*Madame* —dije—, esta noche ha prestado un gran servicio al rey. ¿En qué parte del castillo está?

Ella bajó la voz hasta que se convirtió en un temeroso susurro. Yo la escuché ansiosamente.

—Al otro lado del puente levadizo hay una puerta, y detrás de ella... ¡Silencio! ¿Qué es eso?

Se oían pisadas en el exterior.

—¡Vienen hacia aquí! ¡Llegan demasiado pronto! ¡Cielos! ¡Llegan demasiado pronto! —repitió pálida como una muerta.

—A mí me parece —dije yo— que llegan muy a tiempo.

—Apague la linterna. Mire, hay una rendija en la puerta. ¿Los ve?

Acerqué un ojo a la rendija. En el escalón inferior había tres figuras envueltas en la oscuridad. Apunté el revólver. Antoinette colocó apresuradamente una mano sobre la mía.

—Quizá logre matar a uno —dijo—. Pero, ¿y los demás?

Una voz se elevó en el exterior, una voz que hablaba un inglés perfecto.

—Señor Rassendyll —dijo.

Yo no contesté.

—Queremos hablar con usted. ¿Promete no disparar hasta que hayamos terminado?

—¿Tengo el placer de dirigirme al señor Detchard? —pregunté.

—Olvídese de los nombres.

—En ese caso, deje el mío en paz.

—De acuerdo. Quiero hacerle una oferta.

Yo seguía con el ojo pegado a la rendija. Los tres habían subido dos escalones más; tres revólveres apuntaban hacia la puerta.

—¿Querrá dejarnos entrar? Le damos nuestra palabra de que respetaremos la tregua.

—No confíe en ellos —susurró Antoinette.

—Podemos hablar a través de la puerta —contesté.

—Pero usted podría abrirla y disparar —objetó Detchard—, y aunque acabaríamos con usted, podría acabar con uno de nosotros. ¿Nos da su palabra de no disparar mientras hablamos?

—No confíe en ellos —volvió a susurrar Antoinette.

De repente se me ocurrió una idea. La consideré durante unos instantes. Parecía factible.

—Prometo no disparar antes que ustedes —dije—, pero no los dejaré entrar. Quédense fuera y hablen.

—Es razonable —dijo él.

Los tres subieron el último escalón, y se quedaron junto a la puerta. Yo pegué la oreja a la rendija. No oí nada, pero la cabeza de Detchard se hallaba muy próxima a la del más alto de sus compañeros (De Gautet, supuse).

«¡Hum! Comunicaciones privadas», pensé. Después dije en voz alta:

—Bueno caballeros, ¿cuál es la oferta?

—Un salvoconducto hasta la frontera y cincuenta mil libras inglesas.

—No, no —susurró Antoinette con voz casi inaudible—. Son unos traidores.

—No está mal— contesté escudriñando a través de la rendija. Ahora estaban todos juntos, pegados a la puerta.

Ya había sondeado a los rufianes, y no necesitaba la advertencia de Antoinette. Se proponían «liquidarme» en cuanto los dejara entrar.

—Concédanme un minuto para reflexionar —dije; y me pareció oír una carcajada en el exterior.

Me volví hacia Antoinette.

—Colóquese junto a la pared, fuera de la línea de fuego —susurré.

—¿Qué va a hacer? —preguntó, asustada.

—Ya lo verá —respondí.

Cogí la mesita de hierro. No pesaba demasiado para un hombre de mi fuerza, y la sostuve por las patas. La superficie quedaba frente a mí y constituía un magnífico escudo para la cabeza y el cuerpo. Me metí la linterna apagada en el cinturón y guardé el revólver en un bolsillo de la chaqueta. De repente vi que la puerta se movía imperceptiblemente; quizá fuese el viento, quizá una mano que la empujaba desde el exterior.

Me aparté de la puerta todo lo que pude, sujetando la mesa en la posición que he descrito. Luego grité:

—Caballeros, acepto su oferta, y confío en su palabra. Si quieren abrir la puerta...

—Abrala usted mismo —contestó Detchard.

—Se abre hacia afuera —dije yo—. Retrocedan un poco, caballeros, o los golpearé al abrirla.

Me acerqué y moví ruidosamente el pestillo. Después volví de puntillas a mi lugar.

—¡No puedo abrirla! —grité—. ¡El cerrojo se ha atascado!

—¡Vaya! ¡Lo haré yo! —gritó Detchard—. Tonterías, Bersonin, ¿por qué no? ¿Tienes miedo de un hombre solo?

Esbocé una sonrisa. Al cabo de un instante la puerta se abrió violentamente. La luz de una linterna me permitió ver a los tres hombres apuntando hacia adentro con sus revólveres. Con un grito, atravesé la habitación lo más de prisa que pude y crucé el umbral. Oí tres disparos y las balas se estrellaron contra mi escudo. Luego di un salto hacia delante y la mesa los alcanzó de pleno, y todos (ellos, yo, y la utilísima mesa) rodamos escalones abajo. Antoinette de Mauban profirió un chillido, pero yo me puse en pie, riendo a carcajadas.

De Gautet y Bersonin yacían en el suelo, aturdidos por el golpe. Detchard estaba debajo de la mesa pero, mientras yo me levantaba, la apartó de un empujón y volvió a disparar. Yo alcé mi revólver e hice fuego; le oí maldecir, y entonces eché a correr como una liebre, sin dejar de reír, siguiendo el muro. Oí pasos detrás de mí y, volviéndome, disparé nuevamente. Los pasos cesaron.

—¡Quiera Dios —murmuré— que haya dicho la verdad sobre la escalera! —pues el muro era alto y estaba rematado con púas de hierro.

Sí, allí estaba. Subí y salté al otro lado en un minuto. Volví atrás y vi los caballos; luego oí un disparo. Era Sapt. Nos había oído y estaba forcejeando con la puerta cerrada, golpeándola y disparando contra la cerradura como un poseso. Había olvidado por completo que él no debía tomar parte en la lucha. Eso volvió a hacerme reír y, dándole una palmada en el hombro, dije:

—Vámonos a la cama, viejo amigo. ¡Tengo que contarle la mejor historia que ha oído jamás!

El se sobresaltó y exclamó: «¡Está a salvo!» y me estrechó la mano. Pero al cabo de un momento añadió:

—¿Se puede saber de qué diablos se ríe?

—¡Cuatro caballeros en torno a una mesa de té! —exclamé sin dejar de reír, pues había sido sumamente gracioso ver derrotados e indefensos a tan peligrosos rufianes sin más arma que una ordinaria mesa de té.

Además, observarán ustedes que mantuve honrosamente mi palabra, y no disparé hasta que ellos lo hicieron.

# 10. UNA GRAN OPORTUNIDAD PARA UN BRIBON

Era costumbre que el prefecto de policía me enviara un informe diario sobre el estado de la capital y las opiniones del pueblo. El documento también incluía una relación de los movimientos de aquellas personas a las que la policía debía vigilar. Desde que yo estaba en Strelsau, Sapt se había habituado a leer el informe y a comunicarme todas las noticias de interés que pudiera contener. Al día siguiente de mi aventura en la glorieta entró en el gabinete donde yo jugaba una mano de *écarté* con Fritz von Tarlenheim.

—Esta tarde el informe es muy interesante —comentó, sentándose.

—¿Se hace mención —pregunté— de cierta reyerta?

El meneó la cabeza con una sonrisa.

—En primer lugar se hace mención de lo siguiente —dijo—: «Su alteza el duque de Strelsau ha abandonado la ciudad (según parece, repentinamente), acompañado por varios miembros de su casa. Se cree que su destino es el castillo de Zenda, pero el grupo ha viajado por carretera, no en tren. Los señores de Gautet, Bersonin y Detchard lo han seguido una hora más tarde, el último con un brazo en cabestrillo. Se desconoce la causa de su herida, pero se sospecha que se ha batido en duelo, probablemente consecuencia de una aventura amorosa.»

—Eso sí que está muy lejos de ser verdad —observé, muy complacido de saber que había dejado mi marca sobre él.

—A continuación dice —prosiguió Sapt—: «Madame de Mauban, cuyos movimientos han sido vigilados según las instrucciones recibidas, se ha marchado en tren a mediodía. Ha tomado billete para Dresde...»

—Es una vieja costumbre suya —dije yo.

—«El tren de Dresde se detiene en Zenda.» Una observación muy perspicaz, ¿verdad? Y finalmente escuche esto: «El estado de opinión de la ciudad no es satisfactorio. El rey es objeto de muchas críticas» (se le ha recomendado que sea totalmente sincero, ¿comprende?) «por no dar ningún paso respecto a su matrimonio. Por las investigaciones hechas entre el *entourage* de la princesa Flavia, se sabe que su alteza real está profundamente ofendida por la indiferencia de su majestad. El pueblo une su nombre al del duque de Strelsau, y el duque gana mucha popularidad por este motivo. He propagado la noticia de que el rey ofrecerá un baile en honor de la princesa esta misma noche, y el efecto es bueno».

—Esto sí que es una novedad para mí —dije.

—¡Oh, los preparativos ya están hechos! —rió Fritz—. Me he ocupado de ello.

Sapt se volvió hacia mí y dijo, con una voz cortante y resuelta:

—Esta noche debe hacerle la corte.

—Es muy probable que lo haga, si la veo a solas —contesté—. Maldita sea, Sapt, ¿cree que me resulta fácil?

Fritz silbó uno o dos compases, luego manifestó:

—Le resultará muy fácil. Escuche, no me gusta contarle esto, pero debo hacerlo. La condesa Helga me dijo que la princesa sentía un gran cariño por el rey. Desde la coronación, sus sentimientos han sufrido una evolución notable. Es totalmente cierto que está herida por el aparente abandono del rey.

—¡En buen lío estoy metido! —gemí.

—¡Vamos, vamos! —intervino Sapt—. Supongo que le habrá dicho palabras bonitas a una muchacha antes de ahora, ¿verdad? Eso es lo único que ella quiere.

Fritz, enamorado también, comprendía mejor mi aflicción. Puso una mano sobre mi hombro, pero no dijo nada.

—Sin embargo —prosiguió el despiadado de Sapt—, lo mejor es que le declare su amor esta noche.

—¡Santo cielo!

—O, en todo caso, insinúeselo, y yo enviaré un comunicado semioficial a los periódicos.

—¡No haré nada de eso, y usted tampoco! —repliqué—. Me niego a poner en ridículo a la princesa.

Sapt me miró con sus penetrantes ojillos. Una astuta sonrisa cruzó lentamente su rostro.

—De acuerdo, muchacho, de acuerdo —dijo—. No debemos presionarlo demasiado. Cálmela un poco, si puede, y eso bastará. ¡Ahora hablemos de Michael!

—¡Oh, maldito Michael! —exclamé—. Ya nos ocuparemos de él mañana. Vamos, Fritz, acompáñeme a dar un paseo por el jardín.

Sapt cedió en seguida. Sus rudos modales ocultaban un tacto maravilloso y, como yo iba descubriendo poco a poco, un notable conocimiento de la naturaleza humana. ¿Por qué había insistido tan poco respecto a la princesa? Porque sabía que su belleza y mi ardor me llevarían más lejos que todos sus argumentos, y que cuanto menos pensara en ello, más probable era que lo hiciese. Debió haber previsto la desdicha que podía causar a la princesa, pero esto no le atañía. ¿Puedo decir, confidencialmente, que se equivocaba? Si el rey era restaurado, la princesa debería volver a él, conociendo o no conociendo el cambio. ¿Y si el rey no regresaba? Este era un tema sobre el que aún no habíamos hablado nunca. Pero yo tenía la idea de que, en ese caso, Sapt me sentaría en el trono de Ruritania hasta el fin de mis días. Habría sentado al propio Satanás antes que a su pupilo, Michael el Negro.

El baile fue espléndido. Lo abrí danzando una cuadrilla con Flavia; después evolucionamos a los acordes de un vals. Fuimos el centro de todas las miradas y conversaciones. Más tarde pasamos al comedor y, a mitad de la cena, ya medio loco, pues su mirada había respondido a la mía, y su acelerada respiración acogía mis frases balbuceantes, me levanté de mi asiento ante los ilustres invitados y, quitándome la Rosa Roja, coloqué la banda con su valiosa insignia en torno a su cuello. En medio de una salva de aplausos me senté; vi que Sapt sonreía por encima de su copa de vino, y Fritz fruncía el ceño. El resto de la cena transcurrió en silencio; ni Flavia ni yo podíamos hablar. Fritz me tocó en el hombro, y yo me levanté, ofrecí el brazo a Flavia, y nos dirigimos hacia un saloncito, donde nos fue servido el café. Los caballeros y damas presentes se retiraron, y nos quedamos solos.

El saloncito tenía unos ventanales que daban al jardín. Hacía una noche clara, fresca y aromática. Flavia se sentó, y yo permanecí de pie frente a ella. Estaba luchando conmigo mismo. Si no me hubiera mirado de repente, creo que incluso entonces habría ganado la batalla. Pero de pronto, involuntariamente, me lanzó una breve mirada, una mirada inquisitiva, desviada con presteza. El rubor causado por su propia osadía se extendió sobre sus mejillas y contuvo el aliento. ¡Ah, si ustedes la hubieran visto! Olvidé al rey que estaba en Zenda. Olvidé al rey que estaba en Strelsau. Ella era una princesa y yo un impostor. ¿Creen que me acordé de eso? Doblé la rodilla y tomé sus manos entre las mías. No dije nada. ¿Acaso era necesario? Los dulces sonidos de la noche convirtieron mi declaración en una melodía sin palabras, mientras depositaba mis besos sobre sus labios.

Ella me apartó, y exclamó súbitamente:

—¡Ah! ¿Es cierto? ¿O sólo lo haces por obligación?

—¡Es cierto! —repuse, con voz ahogada—. ¡Te amo más que a la vida, la verdad, o el honor!

Ella no entendió el significado de estas palabras, y las tomó por una de las dulces extravagancias del amor. Se acercó a mí y murmuró:

—¡Oh, si no fueras el rey, podría demostrarte cuánto te amo! ¿Cómo es que ahora te amo, Rudolf?

—¿Ahora?

—Sí, últimamente. Antes... antes no te amaba.

Me sentí embargado por una profunda sensación de triunfo. ¡Era yo, Rudolf Rassendyll, quien la había conquistado! Pasé un brazo alrededor de su cintura.

—¿De modo que antes no me amabas? —pregunté.

Me miró a la cara, sonriendo, mientras susurraba:

—Debe haber sido tu corona. Empecé a amarte el día de la coronación.

—¿Antes, no? —pregunté con ansiedad.

Se rió quedamente.

—Hablas como si desearas oír un «sí» por respuesta —dijo.

—¿Y es un «sí»?

—Sí —murmuró, y al cabo de un instante prosiguió—: Ten cuidado, Rudolf; ten cuidado, amor mío. Ahora se pondrá furioso.

—¿Te refieres a Michael? Aunque Michael fuese el peor...

—¿Es que puede haber alguien peor?

Aún había una posibilidad para mí. Dominándome con un esfuerzo sobrehumano, retiré mis manos de entre la suyas y me aparté uno o dos metros. Ahora recuerdo el sonido del viento que soplaba entre los olmos del jardín.

—Si yo no fuera el rey —empecé—, si sólo fuera una persona normal y corriente...

Antes de que pudiese terminar, su mano estaba en la mía.

—Si fueras un convicto en la prisión de Strelsau, serías mi rey —dijo.

Y en un murmullo inaudible gemí: «¡Qué Dios me ayude!» y apretándole la mano, repetí:

—Si yo no fuera el rey...

—¡Calla, calla! —susurró ella—. No me merezco esto; no me merezco que dudes de mí. ¡Ah, Rudolf! ¿Acaso una mujer que no estuviese enamorada podría mirar a un hombre como yo te miro a ti?

Y me ocultó su rostro.

Permanecimos así durante más de un minuto; y yo, incluso teniéndola entre mis brazos, reuní todo el honor y la conciencia que su hermosura y mi difícil posición me habían dejado.

—Flavia —dije, con una extraña y áspera voz que no parecía la mía—, no soy...

Mientras yo hablaba, y ella levantaba los ojos hacia mí, unas fuertes pisadas resonaron en el exterior y un hombre apareció en el ventanal. Flavia profirió una exclamación, y se separó rápidamente de mí. La frase a medio terminar murió en mis labios. Allí estaba Sapt, haciendo una profunda reverencia, pero con una expresión severa en la cara.

—Mil perdones, majestad —dijo—, pero su eminencia el cardenal espera desde hace un cuarto de hora para despedirse de vuestra majestad.

Lo miré a los ojos, y leí en ellos una firme advertencia. No sé cuánto tiempo llevaba escuchando, pero nos había interrumpido en el momento preciso.

—No debemos hacer esperar a su eminencia —dije.

Pero Flavia, en cuyo amor no había vergüenza, con la mirada radiante y la cara sonrojada, alargó la mano a Sapt. No dijo nada, pero ningún hombre que hubiese visto a una mujer enamorada habría podido engañarse sobre sus sentimientos. Una sonrisa triste pasó por el rostro del viejo soldado, e, inclinándose para besarle la mano, dijo con ternura:

—En la alegría y la tristeza, en los buenos tiempos y en los malos, ¡Dios salve a vuestra alteza real!

Hizo una pausa y añadió, mirándome y recuperando su erecta postura militar:

—Pero por encima de todos está el rey. ¡Dios salve al rey!

Flavia me tomó la mano, la besó y murmuró:

—¡Así sea, Dios mío! ¡Así sea!

Volvimos al salón de baile. Obligado a despedir a los invitados, me vi separado de Flavia; al dejarme, todos iban hacia ella. Sapt iba de un lado a otro, y allí donde había estado, las miradas, sonrisas y murmullos eran la nota dominante. No me cupo duda de que, fiel a su inexorable objetivo, estaba difundiendo la noticia que acababa de serle comunicada. Defender la Corona y vencer a Michael el Negro constituían su única meta. Flavia, yo, e incluso el verdadero rey éramos simples piezas de su juego, y los peones carecen de pasiones. Ni siquiera los muros del palacio le detuvieron, porque, cuando al fin bajé con Flavia la ancha escalinata de mármol y la ayudé a entrar en su carruaje, una gran multitud nos aguardaba, y fuimos recibidos con ensordecedores vítores. ¿Qué iba a hacer yo? De haber hablado entonces, se habrían negado a creer que no era el rey; habrían creído que el rey se había vuelto loco. Los planes de Sapt y mi propia pasión incontrolada me habían hecho seguir adelante, y ya no podía retroceder. La pasión aún me empujaba en la misma dirección, pues los planes me seducían. Aquella noche me presenté ante todo Strelsau como rey y prometido oficial de la princesa Flavia.

Al fin, hacia las tres de la madrugada, cuando empezaba a clarear el nuevo día, yo estaba en mi gabinete, y sólo Sapt se hallaba conmigo. Estaba aturdido, y miraba fijamente el fuego; él fumaba su pipa; Fritz se había ido a la cama, sin apenas dirigirme la palabra. Encima de la mesa reposaba una rosa; Flavia la llevaba prendida en su vestido y, al separarnos, la había besado y me la había dado.

Sapt alargó la mano hacia la rosa pero, con un rápido movimiento, lo detuve.

—Esto es mío —dije—, no suyo... ni del rey.

—Esta noche hemos ayudado mucho al rey —comentó.

Me volví rabiosamente hacia él.

—¿Qué me impide ayudarme a mí mismo? —repliqué.

El inclinó la cabeza.

—Sé lo que piensa —dijo—. Sí, muchacho; pero el honor le obliga.

—¿Me ha dejado usted algo de honor?

—Oh, vamos, no es tan grave engañar a una muchacha...

—No me hable de eso. Coronel Sapt, si yo no fuese un infame, si usted no tuviera a su rey pudriéndose en Zenda, mientras Michael y yo luchamos por el primer premio... ¿Me sigue?

—Sí, lo sigo.

—¡Tenemos que actuar, y de prisa! Esta noche ha visto... esta noche ha oído...

—Así es —contestó.

—Su maldita sagacidad le ha dicho lo que debía hacer. Pues bien, déjeme una semana aquí, y tendrá otro problema. ¿Sabe cuál es la solución?

—Sí, lo sé —respondió, frunciendo el ceño—. Pero si hiciera tal cosa, primero tendría que luchar conmigo... y matarme.

—¿Y si lo hiciera... yo, o una veintena de hombres? No le quepa ninguna duda, podría levantar contra usted a todo Strelsau en una hora, y ahogarlo en sus propias mentiras, sí, sus insensatas mentiras.

—Esa es una verdad indiscutible —dijo él—; gracias a mis consejos, podría hacerlo.

—Podría casarme con la princesa, y enviar a Michael y a su hermano a ...

—No lo niego, muchacho —me interrumpió.

—Entonces, en nombre de Dios —exclamé, alargando las manos hacia él—, déjenos ir a Zenda y aplastar a ese Michael, y devolver el rey al puesto que le corresponde.

El anciano se levantó y me miró durante más de un minuto.

—¿Y la princesa? —inquirió.

Yo incliné la cabeza hasta las manos, y estrujé la rosa entre los dedos y los labios.

Noté su mano sobre el hombro, y con voz ronca me murmuró al oído:

—Juro por Dios que es usted el mejor Elphberg de todos ellos. Pero he comido el pan del rey, y soy el servidor del rey. ¡De acuerdo, iremos a Zenda!

Levanté la mirada y le así la mano. Ambos teníamos los ojos húmedos.

# 11. A LA CAZA DE UN GRAN JABALI

La terrible tentación que me asaltaba era fácilmente comprensible. Yo podía presionar a Michael hasta el punto de obligarlo a matar al rey. Estaba en condiciones de desafiarle y adueñarme de la corona, no por sí misma, sino porque el rey de Ruritania se casaría con la princesa Flavia. ¿Y Sapt y Fritz? ¡Ah! Pero nadie puede obligar a un hombre a escribir a sangre fría los desenfrenados y negros pensamientos que pasan por su mente cuando una pasión incontrolada ha abierto una brecha en ellos. Sin embargo, a menos que quiera ser un santo, no necesita odiarse a sí mismo por esta causa. En mi humilde opinión, hará mejor dando gracias por ser capaz de resistir que preocupándose por los malos impulsos que llegan inesperadamente y arrebatan una involuntaria hospitalidad a la debilidad de nuestra naturaleza.

Una hermosa mañana fui, sin previo aviso, a casa de la princesa con un ramillete de flores en la mano. La política inventaba excusas para el amor, y todos los homenajes que yo le ofrecía, mientras afianzaban mis propias cadenas, me granjeaban el afecto de los habitantes de la gran ciudad, que la adoraban. Encontré a la *inamorata* de Fritz, la condesa Helga, recogiendo capullos en el jardín para embellecer a su señora, y la convencí de que tomara los míos. La muchacha rebosaba felicidad, pues Fritz, por su parte, tampoco había desperdiciado la velada, y ninguna nube ensombrecía sus relaciones, salvo el odio que el duque de Strelsau le profesaba.

—Y eso —dijo ella con una sonrisa maliciosa— carece de importancia gracias a vuestra majestad. Sí, le llevaré las flores. ¿Deseáis saber, majestad, qué es lo primero que la princesa hace con ellas?

Estábamos hablando en una amplia terraza que discurría a lo largo de la parte posterior de la casa. Encima de nuestras cabezas había una ventana abierta.

—¡Señora! —llamó alegremente la condesa, y la propia Flavia se asomó.

Yo me quité el sombrero e incliné la cabeza. Llevaba un vestido blanco y el cabello recogido en una cola. Me echó un beso con la mano y exclamó:

—Haz subir al rey, Helga; le daré un café.

La condesa, con una gozosa mirada, se dispuso a obedecer, y me llevó al saloncito de Flavia. Una vez solos, nos saludamos como acostumbran los enamorados. Después la princesa puso dos cartas ante mí. Una era de Michael el Negro, una cortés invitación para que le hiciese el honor de pasar un día en su castillo de Zenda, como era su costumbre todos los veranos, cuando el lugar y sus jardines estaban en la plenitud de su gran belleza. Dejé la carta con repugnancia, y Flavia se rió de mí. Luego, recobrando la seriedad, señaló el otro pliego.

—No sé de quién es ésta —dijo—. Léela.

Lo supe en seguida. Esta vez no había firma de ninguna clase, pero la letra era la misma que la que me había comunicado la trampa de la glorieta, estaba escrita por Antoinette de Mauban.

«No tengo motivos para sentir cariño por vos —decía—, pero me lamentaría que cayerais en poder del duque. No aceptéis ninguna invitación suya. No salgáis sin una guardia numerosa; ni un regimiento es demasiado para protegeros. Enseñad esto, si podéis, a quien reina en Strelsau.»

—¿Por qué no dice «el rey»? —preguntó Flavia, inclinándose sobre mi hombro de modo que sus bucles me rozaban la mejilla—. ¿Es una broma?

—Si aprecias la vida, y algo más que la vida, reina mía —contesté—, sigue estos consejos al pie de la letra. Me ocuparé de que un regimiento venga a vigilar tu casa hoy mismo. Y no salgas sin ir bien protegida.

—¿Es una orden, señor? —preguntó, con cierta rebeldía.

—Sí, es una orden, señora... si me amas.

—¡Ah! —exclamó; y no pude dejar de besarla.

—¿Sabes quién la ha enviado? —preguntó.

—Me lo imagino —repuse—. Es de una buena amiga... y me temo que una mujer desgraciada. Tienes que estar enferma, Flavia, para no poder ir a Zenda. Discúlpate tan fría y ceremoniosamente como quieras.

—¿Así que crees que eres lo suficientemente fuerte para encolerizar a Michael? —inquirió, con una sonrisa de satisfacción.

—Soy suficientemente fuerte para cualquier cosa, mientras tú estés a salvo —dije.

No tardé en separarme de ella. Entonces, sin consultar a Sapt, me dirigí a casa del mariscal Strackencz. Sabía lo suficiente del anciano general para apreciarlo y confiar en él. Sapt era menos entusiasta, pero ahora ya había descubierto que Sapt sólo estaba contento cuando podía hacerlo todo, y los celos jugaban cierto papel en sus opiniones. Dada la situación actual, yo tenía más trabajo del que Sapt y Fritz podían atender, pues debían ir conmigo a Zenda, y yo necesitaba a un hombre que protegiese a lo que más amaba en el mundo, y me permitiera emprender mi tarea de liberar al rey con la máxima tranquilidad posible.

El mariscal me recibió con toda amabilidad. Hasta cierto punto, le hice partícipe de mi secreto. Le encargué la protección de la princesa, mirándolo significativamente a la cara cuando especifiqué que ningún enviado de su primo, el duque, debería acercarse a ella, salvo si él mismo estaba presente y una docena de sus hombres con él.

—Quizá tengáis razón, majestad —declaró, meneando tristemente su cabeza gris—. He visto a hombres mejores que el duque hacer cosas peores que ésta por amor.

Agradecí el comentario, pero dije:

—Hay algo más que el amor, mariscal. El amor es para el corazón. ¿No hay nada que pudiera apetecer a mi hermano para su cabeza?

—Espero que no lo consiga, majestad.

—Mariscal, estaré unos cuantos días fuera de Strelsau. Todas las noches le enviaré un mensajero. Si pasan tres días sin que se presente ninguno, publicará usted una orden que yo le daré, despojando al duque Michael del gobierno de Strelsau y nombrándolo a usted en su lugar. Declarará el estado de sitio. Después enviará un mensaje a Michael exigiendo una audiencia del rey... ¿me sigue?

—Sí, majestad.

—... en un plazo de veinticuatro horas. Si no le permite ver al rey —apoyé una mano sobre su rodilla—, significará que el rey está muerto, y usted proclamará al siguiente heredero. ¿Sabe quién es?

—La princesa Flavia.

—Y júreme, por su fe y honor y por el temor del Dios viviente, que permanecerá junto a ella hasta la muerte, matará a ese reptil, y la sentará donde yo estoy sentado ahora.

—¡Por mi fe y honor, y por el temor de Dios, lo juro! Y quiera Dios Todopoderoso proteger a vuestra majestad, pues me parece que os disponéis a emprender una misión peligrosa.

—Confío en que no se pierda ninguna vida más valiosa que la mía — contesté yo, levantándome. Después le alargué la mano—. Mariscal —dije—, durante los próximos días es posible, no lo sé, que oiga cosas extrañas sobre el hombre que ahora le habla. Dejando aparte qué pueda ser, y quién pueda ser, ¿qué opina sobre su manera de comportarse como rey en Strelsau?

El anciano, estrechándome la mano, me habló, de hombre a hombre.

—He conocido a muchos Elphberg —contestó—, y os he visto a vos. Y, suceda lo que suceda, os habéis comportado como un buen rey y un hombre valiente; además, habéis demostrado ser un caballero tan cortés y un enamorado tan galante como cualquier miembro de la casa real.

—Que éste sea mi epitafio —dije yo— cuando llegue el día en que otro se siente en el trono de Ruritania.

—¡Dios quiera que sea un día muy lejano, y yo no pueda verlo! —exclamó él.

Una honda emoción se adueñó de mí, y vi crisparse el ajado rostro del mariscal. Me senté y redacté el secreto.

—Todavía no puedo escribir bien —dije—; aún tengo el dedo rígido.

De hecho, era la primera vez que me atrevía a escribir más que una firma, y a pesar del empeño que había puesto en aprender la caligrafía del rey, aún no la imitaba a la perfección.

—Realmente, majestad —observó el mariscal—, difiere un poco de vuestra escritura normal. Es una circunstancia desafortunada, pues podría inducir a sospechar que es una falsificación.

—Mariscal —repliqué, con una carcajada—, ¿para qué sirven los cañones de Strelsau, si no pueden acallar una ligera sospecha?

El sonrió sombríamente, y cogió el papel.

—El coronel Sapt y Fritz von Tarlenheim irán conmigo —continué.

—¿Vais en busca del duque? —preguntó en voz baja.

—Sí, del duque, y de una persona a la que necesito, que está en Zenda —contesté.

—Me gustaría poder acompañaros —exclamó, tirando de su blanco bigote—. Querría servir de ayuda a vos y a vuestra corona.

—Le dejo algo que es más que mi vida y más que mi corona —declaré—, porque usted es el hombre que me merece más confianza de toda Ruritania.

—Os la devolveré sana y salva —prometió—, y, si ello no es posible, la convertiré en reina.

Nos separamos, y yo regresé al palacio y expliqué a Sapt y a Fritz lo que había hecho. Sapt puso reparos y profirió unos cuantos gruñidos. Era simplemente lo que yo esperaba, pues a Sapt le gustaba ser consultado con anterioridad, no informado con posterioridad, pero en general aprobó mis planes, y su excitación fue aumentando a medida que se acercaba el momento de pasar a la acción. Fritz también estaba dispuesto, aunque él arriesgaba más que Sapt, pues estaba enamorado, y su felicidad corría peligro de truncarse. Sin embargo, ¡cómo lo envidiaba! Porque el resultado victorioso que le proporcionaría la felicidad y lo uniría a su enamorada, el éxito por el cual íbamos a luchar y a arriesgarnos, significaría para mí un dolor más cierto y agudo que si estuviéramos destinados a fracasar. El debió comprenderlo así, pues cuando nos quedamos solos (a excepción del viejo Sapt, que estaba fumando en el otro extremo de la habitación), me cogió del brazo, y dijo:

—Esto es muy duro para usted. Puede disponer de mi confianza porque sé que su corazón sólo alberga los más puros sentimientos.

Pero yo me aparté de él, alegrándome de que no viera lo que albergaba mi corazón, y sólo fuera testigo de los actos que mis manos iban a realizar.

Sin embargo, ni siquiera él comprendía lo que sucedía, pues no había osado levantar los ojos hasta la princesa Flavia como yo había levantado los míos.

Todos nuestros planes estaban ya ultimados y nos disponíamos a ponerlos en práctica tal como explicaré más adelante. Al día siguiente emprenderíamos la expedición de caza. Yo había tomado todas las disposiciones necesarias para ausentarme y sólo me quedaba una cosa por hacer; la más difícil y desgarradora. Al caer la tarde, atravesé las bulliciosas calles hasta la residencia de Flavia. Por el camino fui reconocido y aclamado con entusiasmo. Yo desempeñé mi papel y me esforcé en parecer un enamorado feliz. A pesar de mi depresión, casi me divirtió la frialdad y delicada altivez con que me recibió mi dulce enamorada. Se había enterado de que el rey abandonaba Strelsau para ir de cacería.

—Lamento que no podamos divertir a vuestra majestad en Strelsau —dijo, dando pataditas en el suelo—. Te habría ofrecido más distracciones, pero fui tan tonta que pensé...

—¿Qué? —pregunté, inclinándome sobre ella.

—Que durante uno o dos días después de ... anoche, podrías ser feliz sin muchos entretenimientos —y me volvió la espalda con displicencia, mientra añadía—: Espero que los jabalíes sean más absorbentes.

—Yo voy tras un jabalí muy grande —dije; y sin poder contenerme, empecé a jugar con su cabello, pero ella apartó la cabeza—. ¿Estás enfadada conmigo? —pregunté, con fingido asombro, pues no pude resistir la tentación de atormentarla un poco. Nunca la había visto enfadada, y me encantaba descubrir nuevas facetas de su carácter.

—¿Qué derecho tengo a estar ofendida? Sin embargo, anoche dijiste que cada hora que pasabas lejos de mí era un tormento. Pero, un jabalí muy grande, ¡eso es diferente!

—Quizá el jabalí me cace a mí —sugerí—. Quizá él me atrape a mí, Flavia.

Ella no contestó.

—¿Ni siquiera el peligro te conmueve?

Siguió sin decir nada, y yo, colocándome bruscamente frente a ella, vi que se le habían llenado los ojos de lágrimas.

—¿Lloras por el peligro que voy a correr?

Entonces habló en voz muy baja.

—Así es como eras antes; pero el rey, el rey al que yo... he llegado a amar...

Con un súbito gemido, la estreché contra mi pecho.

—¡Cariño! —exclamé, olvidándome de todo lo demás—. ¿Has creído realmente que te abandonaba para ir a cazar?

—Entonces, ¿de qué se trata, Rudolf? ¡Ah! ¿No vais a ir a...?

—Bueno, es una cacería. Voy a buscar a Michael a su madriguera.

Ella había palidecido intensamente.

—Así que ya ves, amor mío, que no soy un enamorado tan indiferente como creías. No estaré mucho tiempo fuera.

—¿Me escribirás, Rudolf?

Me sentí flaquear, pero no podía decir nada que la indujera a sospechar.

—Te enviaré mi amor todos los días —dije.

—¿Y no correrás peligro?

—Ninguno que no sea necesario.

—Y, ¿cuándo volverás? ¡Ah, qué largo se me hará!

—¿Cuándo volveré? —repetí.

—¡Sí, sí! No tardes mucho, querido, no tardes mucho. No podré dormir mientras estés fuera.

—No sé cuándo volveré —dije.

—¿Pronto, Rudolf, pronto?

—Sólo Dios lo sabe, cariño. Pero, si algo me sucede...

—¡Calla, calla! —y apretó los labios contra los míos.

—Si algo me sucede —murmuré—, debes ocupar mi lugar; entonces serás la única representante de la casa real. Deberás reinar, y no llorar por mí.

Por espacio de un momento se irguió como una verdadera reina.

—¡Sí, lo haré! —exclamó—. Reinaré. Desempeñaré mi papel, aunque mi vida estará vacía y mi corazón muerto; sin embargo, ¡lo haré!

Hizo una pausa y, apoyándose en mí, gimió débilmente.

—¡Vuelve pronto! ¡Vuelve pronto!

Incapaz de dominarme, exclamé con resolución:

—¡Juro por Dios que yo, yo mismo, volveré a verte antes de morir!

—¿Qué quieres decir? —inquirió ella, con expresión desconcertada; pero yo no podía contestarle, y siguió mirándome con la misma expresión de desconcierto.

No me atreví a pedirle que me olvidara; lo habría considerado un insulto. En aquel momento no podía decirle quién y qué era yo. Estaba llorando, y no pude hacer más que secarle las lágrimas.

—¿Qué hombre no regresaría junto a la dama más hermosa del mundo? —dije—. ¡Ni un millar de Michaels me apartarían de ti!

Se abrazó a mí, un poco más sosegada.

—¿No dejarás que Michael te haga daño?

—No, cariño.

—¿Ni que te separe de mí?

—No, cariño.

—¿Ni que ningún otro lo haga?

Y yo volví a contestar:

—No, cariño.

Sin embargo había alguien, que no era Michael, que, si vivía, me separaría de ella, y por cuya vida yo estaba dispuesto a arriesgar la mía. Y su figura (la figura ágil y vigorosa que había visto por vez primera en el bosque de Zenda, y la masa inerte que había dejado en la bodega del pabellón de caza) pareció alzarse ante mí e interponerse entre nosotros, incluso mientras ella reposaba, pálida, agotada y desfallecida, entre mis brazos, pero mirándome con unos ojos tan llenos de amor como no he vuelto a ver jamás; unos ojos que ahora me persiguen, y me perseguirán hasta que descanse bajo tierra... y (¿quién sabe?) quizá más allá.

# 12. RECIBO UNA VISITA Y PONGO CEBO AL ANZUELO

A unos diez kilómetros de Zenda, en el lado opuesto al del castillo, hay una gran extensión de bosque. Es un terreno ascendente, y en el centro, en la cima de la colina, se levanta una hermosa residencia, propiedad de un pariente lejano de Fritz, el conde Stanislas von Tarlenheim. El conde Stanislas era un estudioso solitario. Casi nunca visitaba la casa y, a petición de Fritz, me la había ofrecido gustosamente a mí y mis acompañantes. Así pues, éste era nuestro punto de destino; escogido aparentemente para ir a la caza del jabalí (pues el bosque se conservaba intacto y los jabalíes, en otros tiempos muy abundantes en toda Ruritania, aún podían encontrarse en ese lugar), y en realidad porque se hallaba a muy poca distancia del castillo del duque de Strelsau. Un numeroso grupo de criados, con los caballos y el equipaje, partió a primera hora de la mañana; nosotros los seguimos a mediodía. Viajamos cincuenta kilómetros en tren, y recorrimos el resto del trayecto a caballo.

Formábamos un grupo muy selecto. Además de Sapt y Fritz, me acompañaban diez caballeros; cada uno de ellos había sido cuidadosamente elegido, y no menos cuidadosamente sondeado, por mis dos amigos, y todos eran leales a la persona del rey. Se les había explicado una parte de la verdad. El atentado contra mi vida en la glorieta les había sido revelado para fomentar su lealtad y estimular sus sentimientos contra Michael. También fueron informados de que un amigo del rey se hallaba preso en el castillo de Zenda. Su rescate era uno de los objetivos de la expedición, pero también se les dijo que el principal deseo del rey era tomar ciertas medidas contra su alevoso hermano, sin precisar la naturaleza exacta de las mismas. Bastaba con que el rey demandara sus servicios y confiara en su lealtad cuando la ocasión lo requiriera. Estos jóvenes nobles, valientes y leales no pedían más; estaban dispuestos a demostrar su obediencia, y anhelaban un combate como el modo mejor y más estimulante de manifestarla.

Así pues, la escena se trasladó de Strelsau a la residencia de Tarlenheim y el castillo de Zenda, que nos contemplaba desde el otro lado del valle. En cuanto a mí, hice todo lo posible para olvidar mi amor y emplear todas mis energías en la misión que me disponía a realizar. Esta consistía en sacar al rey del castillo con vida. La fuerza sería inútil; nuestra única posibilidad residía en alguna estratagema, y yo tenía una idea de lo que deberíamos hacer. Sin embargo, el factor sorpresa estaba descartado. Michael ya debía haber sido prevenido de mi expedición, y lo conocía demasiado bien para suponer que se dejaría engañar por el bulo de la cacería. Sabría en seguida a qué atenerse. No obstante, teníamos que correr el riesgo y todo lo que significaba. Sapt, igual que yo mismo, reconocía que el presente estado de cosas era insoportable. Además, había una cosa con la que yo me atrevía a contar, como ahora sé, sin fundamento. Se trataba de lo siguiente: que Michael el Negro no creería en mi intención de ayudar al rey. No podía concebir que existiera, no diré un hombre honesto, pues ya he revelado los sentimientos de mi corazón, sino un hombre capaz de actuar honestamente. Debía ver mi oportunidad como yo la había visto, como Sapt la había visto; conocía a la princesa y, a su modo, la amaba (y admito que, en este sentido, me inspiraba cierta compasión); pensaría que Sapt y Fritz podían ser sobornados, si el soborno era suficientemente generoso. Pensando así, ¿mataría al rey, mi rival y mi peligro? Sí, efectivamente, lo haría, con tan pocos escrúpulos como si matara una rata. Pero, si podía, primero mataría a Rudolf Rassendyll, y, sólo en el caso de que el rey fuese liberado con vida y restaurado en el trono, tiraría la carta de triunfo con que esperaba desbaratar el supuesto juego del atrevido impostor Rassendyll. Pensando en todo esto mientras cabalgaba, fui cobrando ánimos.

Sin duda alguna, Michael se enteró de mi llegada. Aún no hacía una hora que estaba allí, cuando compareció una imponente embajada. No cometió la imprudencia de enviar a mis supuestos asesinos, sino a los otros tres de sus famosos Seis (los tres caballeros ruritanos), Lauengram, Krafstein y Rupert Hentzau. Estos constituían un trío impresionante, provisto de excelentes caballos y admirablemente equipados. El joven Rupert, que parecía el más osado, aunque no debía pasar de los veintidós o veintitrés años, tomó el mando y nos hizo un hermoso discurso en el que nos transmitía que mi leal súbdito y amante hermano, Michael de Strelsau, se disculpaba por no venir a saludarme personalmente y, asimismo, por no poner su castillo a mi disposición. El motivo de estas aparentes desatenciones era que él y varios de sus criados se hallaban enfermos de escarlatina, y su estado era muy lamentable y también muy contagioso. Esto fue lo que declaró el joven Rupert, esbozando una insolente sonrisa y echando hacia atrás su abundante cabellera; era un apuesto canalla, y se decía que ya había roto muchos corazones.

—Si mi hermano tiene la escarlatina —observé yo—, debe parecerse a mí más de lo que acostumbra. Confío en que no sufra demasiado.

—Puede ocuparse de sus asuntos, majestad

—Espero que no estén todos enfermos. ¿Y mis buenos amigos, De Gautet, Bersonin y Detchard? Tengo entendido que este último ha sido herido.

Lauengram y Krafstein se mostraron displicentes e incómodos, pero la sonrisa del joven Rupert se hizo más amplia.

—Espera encontrar pronto una medicina adecuada, majestad —contestó

Y yo estallé en carcajadas, pues conocía la medicina que Detchard anhelaba; se llamaba venganza.

—¿Cenarán con nosotros, caballeros? —pregunté.

El joven Rupert se deshizo en excusas. Tenían deberes urgentes en el castillo.

—En ese caso —dije yo, con un ademán—, hasta nuestro próximo encuentro, caballeros. Espero que entonces podamos conocernos mejor.

—Rogaremos a vuestra majestad que nos dé una oportunidad lo antes posible —dijo Rupert con desenvoltura, y pasó junto a Sapt con tan irónica expresión de desdén que el anciano coronel apretó los puños de un modo amenazador.

Por mi parte, si un hombre necesita ser un canalla, prefiero que sea un canalla simpático, y Rupert Hentzau me caía mucho mejor que sus ceñudos y sombríos compañeros. En mi opinión, un pecado no es peor si lo haces *à la mode* y con elegancia.

Ahora bien, lo más destacable de aquella primera noche fue que, renunciando a la excelente cena que mis cocineros me habían preparado, dejé solos a mis caballeros, bajo los solícitos cuidados de Sapt, y me fui con Fritz a la ciudad de Zenda y a una pequeña posada que ya conocía. La excursión no entrañaba ningún peligro; los atardeceres eran largos y claros, y el camino estaba muy frecuentado. Así que nos pusimos en marcha, seguidos por un mozo de cuadra. Yo me embocé en una gran capa.

—Fritz —dije al entrar en la ciudad—, en esta posada hay una muchacha extraordinariamente hermosa.

—¿Cómo lo sabe? —preguntó.

—Porque he estado allí —contesté.

—¿Después de...? —empezó.

—No. Antes —dije.

—Pero... lo reconocerán.

—Sí, claro que sí. Vamos, amigo mío, no discuta y limítese a escuchar. Nosotros somos dos caballeros de la casa del rey, y uno de los dos tiene dolor de muelas. El otro pedirá una habitación privada y la cena y, además, una botella del mejor vino para su compañero.

Y si es tan listo como creo, será la hermosa muchacha quien se ocupe de servirnos.

—¿Y si no quiere? —objetó Fritz.

—Mi querido Fritz —le dije—, si no lo hace por usted, lo hará por mí.

Habíamos llegado a la posada. Sólo se me veían los ojos cuando traspusimos el umbral. La posadera salió a recibirnos; dos minutos más tarde, mi amiguita (siempre al acecho de algún huésped que pareciera interesante) hizo su aparición. Pedimos la cena y el vino. Yo me senté en la habitación privada. Al cabo de un minuto entró Fritz.

—Ahora viene —anunció.

—De no ser así, habría puesto en duda el gusto de la condesa Helga.

La joven entró. Le di tiempo a dejar el vino encima de la mesa; no quería que se lo dejara caer. Fritz llenó una copa y me la alargó.

—¿Le duele mucho? —preguntó la muchacha con simpatía.

—No más que la última vez que te vi —dije yo, quitándome la capa.

Ella se sobresaltó y profirió un grito. Luego exclamó:

—¡Así pues, era el rey! Se lo dije a mi madre en cuanto vi su retrato. ¡Oh, señor, perdonadme!

—La verdad, no tengo nada que perdonarte —repuse.

—¡Pero las cosas que dijimos!

—Perdono a los demás por lo que tú hiciste.

—Tengo que decírselo a mi madre.

—Detente —exclamé, asumiendo un aire más grave—. Esta noche no estamos aquí por diversión. Ve a buscar la cena, y ni una palabra de que el rey se encuentra aquí.

Regresó a los pocos minutos, seria aunque con curiosidad.

—Bueno, ¿cómo está Johann? —pregunté, empezando a cenar.

—Oh, ese hombre, señor... ¡mi rey, quiero decir!

—Llámame «señor», por favor. ¿Cómo está?

—Ahora casi no le vemos, señor.

—Y, ¿por qué no?

—Le dije que venía demasiado a menudo, señor —contestó ella, irguiendo la cabeza.

—¿De modo que está resentido y no se acerca por aquí?

—Sí, señor.

—¿Pero podrías volver a traerlo? —sugerí con una sonrisa.

—Quizá sí —repuso la muchacha.

—Ya ves que conozco tus poderes —dije, y ella se ruborizó satisfecha.

—No es sólo eso, señor, lo que le impide venir. Está muy ocupado en el castillo.

—Pero ahora no hay ninguna cacería.

—No, señor; pero está a cargo de la casa.

—¿Johann convertido en sirviente?

La muchacha estaba deseando chismorrear.

—Bueno, no hay nadie más —dijo—. Ninguna mujer... que sea criada, quiero decir. Se rumorea que... pero quizá sea falso, señor.

—Bueno, eso ya lo veremos —declaré yo.

—Es que... me da vergüenza decíroslo, señor.

—Oh, vamos, estoy mirando al techo.

—Se rumorea que allí hay una dama, señor; pero, excepto ella, no hay ninguna mujer en el castillo. Y Johann tiene que atender a los caballeros.

—¡Pobre Johann! Debe tener muchísimo trabajo. Sin embargo, estoy seguro de que podrá encontrar media hora para venir a verte.

—Quizá sí, señor.

—¿Le amas? —pregunté.

—Por supuesto que no, señor.

—¿Y deseas servir al rey?

—Sí, señor.

—Entonces, cítalo para mañana a las diez de la noche en el segundo mojón del camino. Dile que estarás allí y volverás a casa con él.

—¿Le ocurrirá algo malo, señor?

—Nada en absoluto si hace lo que le ordeno. Pero creo que ya te he dicho bastante, jovencita. Limítate a hacer lo que te he indicado. Y, sobre todo, nadie debe saber que el rey ha estado aquí.

Hablé con cierta severidad, pues no hay nada malo en infundir un poco de temor en el cariño de una mujer, y suavicé el efecto dándole un buen regalo. Después cenamos, me embocé en la capa, seguí a Fritz escaleras abajo y salimos de la posada.

Sólo eran las ocho y media y aún no había anochecido del todo; las calles estaban muy concurridas para un lugar tan pequeño y tranquilo, y la gente se reunía en corrillos para charlar animadamente. Con el rey a un lado y el duque al otro, Zenda se sentía como el centro de toda Ruritania. Cruzamos la ciudad a trote corto, pero espoleamos a nuestros caballos en cuanto llegamos a campo abierto.

—¿Quiere atrapar a ese Johann? —preguntó Fritz.

—Sí, y creo que he puesto bien el cebo. La pequeña Dalila traerá a nuestro Sansón. No basta con no tener mujeres en casa, Fritz, aunque el hermano Michael haya demostrado cierta astucia en ese sentido. Si quieres estar seguro, no debe haber ninguna en cien kilómetros a la redonda.

—Por lo menos han de estar en Strelsau, por ejemplo —dijo Fritz, con un triste suspiro.

Llegamos a la entrada del bosque, y pronto estuvimos en la casa. Cuando los cascos de nuestros caballos resonaron sobre la gravilla, Sapt salió apresuradamente a recibirnos.

—¡Gracias a Dios están sanos y salvos! —exclamó—. ¿Los han visto?

—¿A quiénes? —pregunté, desmontando.

El nos llevó aparte, para que los mozos de la cuadra no nos oyeran.

—Muchacho —dijo—, no debe salir a menos que vaya con media docena de nosotros. ¿Conoce a uno de nuestros hombres que se llama Bernenstein?

Lo conocía. Era un joven apuesto y rubio, casi de mi estatura y de cabello rubio.

—Está en su habitación, con una bala en el brazo.

—¡No es posible!

—Después de cenar se ha ido a dar un paseo y se ha internado uno o dos kilómetros en el bosque. Mientras andaba, le ha parecido ver a tres hombres entre los árboles; uno le apuntaba con un revólver. El no llevaba armas y ha echado a correr hacia la casa. Pero uno de ellos ha disparado y le ha alcanzado, y el pobre muchacho ha tenido que hacer un gran esfuerzo para llegar aquí antes de desmayarse. Por suerte, no se han atrevido a perseguirlo hasta la casa.

Hizo una pausa y añadió:

—Muchacho, esa bala era para usted.

—Es muy probable —repuse—, y también es el primer derramamiento de sangre que se apunta Michael.

—Me pregunto cuál de los tres habrá sido —dijo Fritz.

—Bueno, Sapt —dije yo—, como sabrá en seguida, mi salida de esta noche no ha sido en vano. Pero acabo de tomar una resolución.

—¿De qué se trata? —preguntó.

—Pues, de lo siguiente —contesté—: Creo que pagaría muy mal los grandes honores que Ruritania me ha conferido si partiera dejando a uno de esos Seis con vida; y, con la ayuda de Dios, no dejaré a ninguno.

Al oír estas palabras, Sapt me estrechó la mano.

# 13. UNA MEJORA EN LA ESCALA DE JACOB

A la mañana siguiente de hacer mi juramento contra los Seis di ciertas órdenes y después sentí una tranquilidad que no había experimentado durante los últimos tiempos. Había puesto manos a la obra, y, aunque el trabajo no pueda curar el amor, es una droga que lo aplaca. Sapt, cuya inquietud crecía por momentos, se maravilló al verme cómodamente sentado al sol escuchando contar dulces baladas de amor a uno de mis amigos y dejándome invadir por una grata melancolía. En eso estaba ocupado cuando el joven Rupert Hentzau, que no temía a Dios ni al diablo, y cabalgaba por la propiedad, donde cada árbol podía ocultar a un tirador, como si fuese el parque de Strelsau, llegó a medio galope hasta donde yo estaba, se inclinó con burlona deferencia, y pidió hablar conmigo a solas para transmitirme un mensaje del duque de Strelsau. Hice que todos se retiraran y entonces, sentándose a mi lado, dijo:

—Según parece el rey está enamorado.

—No de la vida, señor —contesté, sonriendo.

—Bueno, ya está bien —replicó—; ahora estamos solos. Rassendyll...

Me incorporé con brusquedad.

—¿Qué sucede? —inquirió.

—Estaba a punto de llamar a uno de mis caballeros para que le trajera el caballo, señor. Si no sabe cómo dirigirse al rey, mi hermano deberá buscar otro mensajero.

—¿Por qué mantener la farsa? —preguntó, sacudiéndose el polvo de la bota con el guante.

—Porque aún no ha terminado; y mientras tanto yo escogeré mi propio nombre.

—¡Oh, está bien! Sin embargo, sólo pretendía ayudarle; porque, en realidad, somos dos almas gemelas.

—Dejando aparte que yo guardo lealtad a los hombres y respeto a las mujeres, quizá lo seamos, señor.

Me lanzó una mirada, una mirada de cólera.

—¿Vive su madre? —le pregunté.

—No, está muerta.

—Puede dar gracias a Dios —dije, y le oí maldecirme en voz baja—. Bueno, ¿qué mensaje trae? —continué.

Le había tocado su punto flaco, pues todo el mundo sabía que había roto el corazón de su madre llevando a sus amantes a su propia casa; su desenvoltura desapareció por el momento.

—El duque le ofrece más de lo que debería —gruñó—. La horca, *majestad*, fue mi sugerencia. Pero él le ofrece un salvoconducto hasta el otro lado de la frontera y un millón de coronas.

—Prefiero su oferta, señor, si debo escoger alguna.

—¿Rehúsa?

—Naturalmente.

—Le dije a Michael que lo haría —y el canalla, recobrada la compostura, me dirigió la más luminosa de las sonrisas—. Lo que ocurre es que, entre nosotros —continuó—, Michael no comprende a un caballero.

Yo me eché a reír.

—¿Y usted? —pregunté.

—Yo sí —dijo—. Bueno, será la horca.

—Lamento que usted no vaya a vivir para verlo —observé.

—¿Me hace vuestra majestad el honor de desafiarme particularmente?

—Lo haría si fuera unos años mayor.

—Oh, Dios da años, pero el diablo los multiplica —rió él—. Estoy contento con mi edad.

—¿Cómo está su prisionero? —inquirí.

—¿El r...?

—Su prisionero.

—Había olvidado sus deseos, majestad. Bueno... está vivo.

Se puso en pie; yo lo imité. Luego, con una sonrisa, dijo:

—¿Y la princesa? Apuesto a que el próximo Elphberg será pelirrojo, aunque Michael el Negro sea considerado su padre.

Di un salto hacia él, apretando los puños. No retrocedió ni un milímetro, y esbozó una sonrisa insolente.

—¡Lárguese, mientras aún pueda hacerlo! —mascullé. Me había devuelto con intereses la alusión a su madre.

Después actuó con la mayor audacia que he visto en mi vida. Mis amigos estaban a unos treinta metros de distancia. Rupert llamó a un mozo para que le trajera su caballo y despidió al hombre con una corona. El caballo estaba cerca. Yo permanecí inmóvil, sin sospechar nada. Rupert hizo ademán de montar, después se volvió súbitamente hacia mí, con la mano izquierda apoyada en el cinturón y la derecha extendida.

—Estrechémonos la mano —dijo.

Yo me incliné, e hice lo que él había previsto: me llevé las manos a la espalda. Rápida como una centella, su mano izquierda se abatió sobre mí, y una pequeña daga relució en el aire; me alcanzó en el hombro izquierdo. Si no me hubiera hecho a un lado, habría sido en el corazón. Con un grito, me tambaleé. Sin tocar el estribo, él saltó sobre su caballo y partió como una flecha, perseguido por gritos y disparos, los últimos tan inútiles como los primeros, y yo me desplomé en el sillón, sangrando abundantemente, mientras veía desaparecer al canalla por la larga avenida. Mis amigos me rodearon, y entonces me desmayé.

Supongo que me metieron en la cama y allí permanecí, inconsciente o semiinconsciente, muchas horas porque era de noche cuando me desperté del todo y encontré a Fritz junto a mí. Estaba débil y cansado, pero él me animó diciéndome que mi herida sanaría pronto y que mientras tanto todo había ido bien, pues Johann, el guardabosque, había caído en la trampa que le habíamos preparado y ahora estaba en la casa.

—Y lo más extraño —continuó Fritz— es que no parece lamentarse de encontrarse aquí. Da la impresión de pensar que cuando Michael el Negro haya realizado su infamia, los testigos, exceptuando, naturalmente, a los Seis, no serán demasiado apreciados.

Esta idea demostraba una sagacidad en nuestro cautivo que me hizo concebir esperanzas sobre su cooperación. Ordené que lo trajeran inmediatamente. Sapt entró con él y lo instaló en una silla junto a mi cama. Estaba hosco y atemorizado, pero, para ser franco, tras la hazaña del joven Rupert, nosotros también abrigábamos nuestros temores y, mientras él se mantenía lo más lejos posible del formidable revólver de seis tiros de Sapt, éste lo mantuvo lo más lejos posible de mí. Por otra parte, cuando entró llevaba los manos atadas, pero ordené que lo desataran.

No me extenderé detallando las garantías y recompensas que le prometimos; todas ellas fueron honorablemente cumplidas y pagadas, de modo que ahora vive con holgura, aunque no diré dónde. Nos mostramos aún más generosos cuando vimos que era un hombre más débil que malo, y había actuado más por temor al duque y a su propio hermano Max que por creer en lo que se hacía. Pero había persuadido a todos de su lealtad, y, aunque había sido excluído de sus reuniones secretas, conocía sus disposiciones dentro del castillo, y pudo revelarnos sus planes. En resumen, ésta es su historia:

En los sótanos del castillo, tras bajar un tramo de escaleras que arrancaban del extremo del puente levadizo, había dos pequeñas habitaciones, cortadas en la misma roca. La primera de las dos no tenía ventanas, pero siempre estaba iluminada con velas; la interior tenía una ventana cuadrada, que daba al foso. En la habitación exterior siempre estaban, día y noche, tres de los Seis. Las instrucciones del duque Michael eran que, en caso de un ataque contra la habitación exterior, los tres debían defender la puerta mientras pudieran sin arriesgar sus vidas. Pero en cuanto la puerta corriese peligro de ser derribada, Rupert Hentzau o Detchard (pues uno de estos dos siempre estaba allí) debía dejar que los otros siguieran resistiendo, pasar a la habitación interior y, sin más indicaciones, matar al rey, que se encontraba allí, muy bien tratado, pero sin armas y con los brazos inmovilizados por gruesas cadenas de acero que no le permitían separar el codo más de cinco centímetros del costado. Así pues, antes de que la primera puerta fuese tomada, el rey estaría muerto. ¿Y su cuerpo? Porque su cuerpo sería una evidencia tan condenatoria como él mismo.

—No, señor —dijo Johann—, su alteza ha pensado en eso. Mientras los dos defienden la habitación exterior, el que ha matado al rey abrirá la reja de la ventana cuadrada (gira sobre una bisagra). La ventana no deja pasar la luz, pues ha sido taponada con un gran tubo de barro, suficientemente ancho para dar cabida al cuerpo de un hombre, que desemboca en el foso justo encima de la superficie del agua. Muerto el rey, su asesino ata rápidamente un peso al cuerpo y, después de arrastrarlo hasta la ventana, lo levanta con una polea (en previsión de que el peso sea demasiado grande, Detchard ha instalado una) hasta que esté al nivel del tubo. Introduce los pies en el tubo y empuja el cuerpo hacia abajo. Silenciosamente, sin ningún chapoteo ni sonido, cae al agua y de ahí al fondo del foso, que debe tener unos seis metros de profundidad. Una vez hecho esto, el asesino grita: «¡Todo va bien!», y también él se desliza por el tubo. Los otros, si pueden y el ataque no es demasiado violento, corren a la habitación interior y, con objeto de ganar tiempo, atrancan la puerta, y se deslizan asimismo por el tubo. El rey no sale a flote, pero ellos lo hacen y nadan hacia el otro lado, donde está previsto que los esperen varios hombres con cuerdas para izarlos, y caballos. Y aquí, si las cosas van mal, el duque se les unirá y huirán a caballo; pero si todo va bien, regresarán al castillo, y atraparán a sus enemigos. Este, señor, es el plan de su alteza para la eliminación del rey en caso de necesidad. Pero no se llevará a cabo hasta el último momento porque, como todos sabemos, no se propone matar al rey a menos que, antes o después, pueda matarlo también a usted, señor. Ahora Dios es testigo de que he dicho la verdad, y le ruego que me proteja de la venganza del duque Michael, porque si, después de enterarse de lo que he hecho, caigo en sus manos, sólo después desearé una cosa en el mundo: una muerte rápida, ¡y eso no podré obtenerlo de él!

El hombre pasó por alto muchos detalles, pero nuestras preguntas completaron su narración. Lo que nos había dicho ocurriría en caso de un ataque armado, pero si se despertaban sospechas, y acudía una fuerza arrolladora como, por ejemplo, la que yo, el rey, podía conseguir, la idea de la resistencia sería abandonada y el rey sería tranquilamente asesinado y empujado por el tubo. Con un toque de ingenio, uno de los Seis ocuparía su lugar en la celda y, al entrar los rescatadores, exigiría su libertad y un desagravio. Michael, al ser avisado, confesaría haber actuado precipitadamente, pero diría que el hombre lo había hecho montar en cólera al pretender los favores de una dama que estaba en el castillo (ésta era Antoinette de Mauban) y lo había confinado allí, como creía que, siendo el señor de Zenda, tenía derecho a hacer. Pero ahora, habiendo aceptado sus disculpas, se alegraba de soltarlo, y de poner fin al rumor que corría, para disgusto de su alteza, sobre la existencia de un prisionero en Zenda, y que había sido la causa de la investigación. Los visitantes, desconcertados, se retirarían, y Michael podría librarse, sin prisas, del cuerpo del rey.

Sapt, Fritz y yo nos miramos unos a otros con horror y estupefacción ante la crueldad y la astucia del plan. Tanto si iba en son de paz como en son de guerra, abiertamente a la cabeza de un escuadrón, o secretamente al mando de un grupo de asaltantes, el rey moriría antes de que pudiera acercarme a él. Si Michael era más fuerte y vencía a mi grupo, habríamos llegado al final; pero si yo era más fuerte, no tendría modo de castigarlo, ni medios para demostrar su culpabilidad sin demostrar también la mía. Por otra parte, yo seguiría siendo el rey (¡ah!, por un momento se me aceleró el pulso) y correspondería al futuro presenciar el combate final entre él y yo. Michael el Negro parecía haberse asegurado el triunfo y haber hecho imposible el fracaso. En el peor de los casos, estaría en igual situación que antes de que yo me cruzara en su camino; sólo un hombre se interpondría entre él y el trono, y ese hombre sería un impostor; en el mejor de los casos no quedaría nadie para oponerse a él. Yo había empezado a creer que Michael el Negro estaba más que satisfecho de dejar la lucha a sus amigos, pero ahora reconocí que el cerebro, si no el brazo, de la conspiración era el suyo.

—¿Sabe el rey todo esto? —pregunté.

—Mi hermano y yo —repuso Johann— colocamos el tubo, bajo las órdenes del señor de Hentzau, que ese día estaba de guardia, y el rey le preguntó que significaba aquello. «Esto —contestó él, con su insolente risa— es una nueva mejora en la escala de Jacob, por medio de la cual, como habréis leído, majestad, los hombres pasan de la tierra al cielo. No consideramos adecuado que vuestra majestad vaya, en caso de que tengáis que ir, por la ruta normal, así que os hemos hecho un bonito pasaje privado donde el vulgo no pueda contemplaros ni obstaculizar vuestro paso. Este, majestad, es el significado del tubo.» Se echó a reír, se inclinó y le pidió permiso al rey para volver a llenarle la copa, pues el rey estaba cenando. El rey, aunque es un hombre valiente, como todos los de su casa, enrojeció y luego palideció al mirar el tubo y al alegre diablo que se burlaba de él. Ah, señor —y el guardabosque se estremeció—, no es fácil dormir tranquilamente en el castillo de Zenda, pues todos ellos preferirían cortarle el cuello a un hombre que jugar una partida de cartas; y el señor Rupert escogería ese pasatiempo antes que cualquier otro; sí, incluso antes que mancillar el honor de una mujer, aunque eso también le guste mucho.

El hombre se calló. Yo pedí a Fritz que se lo llevara y lo hiciera vigilar estrechamente, y, volviéndome hacia él, añadí:

—Si alguien le pregunta si hay un prisionero en Zenda, conteste que sí. Pero si le preguntan quién es el prisionero, no conteste. Porque todas mis promesas no lo salvarán si revela la verdad sobre el prisionero de Zenda a alguno de nuestros hombres. ¡Lo mataré como a un perro si se atreve a abrir la boca en esta casa!

Después, cuando hubo salido, miré a Sapt.

—¡Es un hueso duro de roer! —dije.

—Tan duro —repuso él, meneando la cabeza— que, o mucho me equivoco, o el año próximo por estas fechas usted seguirá siendo el rey de Ruritania —y prorrumpió en maldiciones contra la astucia de Michael.

Yo me recosté sobre las almohadas.

—A mí me parece —observé— que hay dos caminos por los que el rey pueda salir de Zenda con vida. Uno es la traición entre los seguidores del duque.

—Ese ya puede descartarlo —dijo Sapt.

—Espero que no —repliqué—, porque el otro que estaba a punto de mencionar es... ¡un milagro del cielo!

# 14. UNA NOCHE JUNTO AL CASTILLO

Esta conversación habría sorprendido mucho a los buenos habitantes de Ruritania, pues, según los informes oficiales, yo había recibido una grave y peligrosa herida de lanza mientras ejercitaba mi deporte favorito. Me ocupé de que los comunicados fueran muy serios, y creé una gran agitación pública, lo que dio lugar a tres cosas: primera, ofendí gravemente al cuerpo médico de Strelsau no llamando a ninguno de sus miembros, salvo a un joven, amigo de Fritz, en el que podíamos confiar; segunda, recibí un mensaje del mariscal Strakencz para notificarme que mis órdenes no parecían tener más peso que las suyas, y que la princesa Flavia marchaba hacia Tarlenheim con su escolta (noticia que a pesar de todo me alegró y enorgulleció), y tercera, mi hermano, el duque de Strelsau, aunque demasiado bien informado para creer nuestra versión del origen de mi dolencia, estaba persuadido, por los comunicados y mi aparente inactividad, de que realmente no podía moverme y mi vida corría cierto peligro. Esto lo supe por boca de Johann, en el que me vi obligado confiar y al que envié de nuevo a Zenda, donde, por cierto, Rupert Hentzau lo azotó cruelmente por atreverse a quebrantar la moral de Zenda pasando toda la noche fuera en pos del amor. Esto, viniendo de Rupert, fue una gran ofensa para Johann, y la aprobación del duque hizo más para poner al guardabosque de mi parte que todas mis promesas.

Sobre la llegada de Flavia no puedo alargarme. Su alegría al encontrarme levantado y bien, en lugar de acostado y luchando con la muerte, forma un cuadro que incluso ahora baila ante mis ojos hasta que se empañan demasiado para verlo; y sus reproches por no haber confiado siquiera en ella deben disculpar las medidas que tomé para acallarlos. En realidad, tenerla conmigo una vez más era como el sabor del cielo para un alma condenada, el más dulce para un hombre cuyo destino era inevitable, y me alegré de poder pasar dos días completos con ella. Y cuando estos dos días tocaron a su fin el duque de Strelsau organizó una partida de caza.

El desenlace ya estaba cerca porque Sapt y yo, tras ansiosas consultas, habíamos decidido arriesgarnos a lo que fuera y nos reafirmamos en nuestra decisión cuando Johann nos dijo que el rey se hallaba cada día más demacrado, pálido y débil, y que su salud empezaba a resentirse del prolongado encierro. Un hombre, sea rey o no, siempre preferirá morir rápidamente y, como es propio de un caballero, de un disparo a una estocada, que en larga agonía encerrado en un celda. Esto hacía aconsejable una pronta intervención en beneficio del rey; desde mi punto de vista, era cada vez más necesario porque Strakencz no dejaba de insistir sobre la conveniencia de un matrimonio inmediato, y mis propias inclinaciones lo secundaban con una terrible intensidad que temí por mi resolución. No creo que hubiese dado el paso con el cual soñaba, pero podría haber llegado a huir, y mi huida habría echado a perder la causa. Y... como no soy ningún santo (pregúntenselo a mi querida cuñada), también habría podido ocurrir algo peor.

Tal vez el hecho más extraño que haya tenido lugar en la historia de un país sea que el hermano del rey y el impostor del rey, en una época de gran paz, cerca de una plácida población rural y bajo la apariencia de la amistad, libraran una guerra desesperada por la persona y la vida del rey. Sin embargo, ésta era la lucha que se iniciaba entre Zenda y Tarlenheim. Cuando recuerdo aquellos tiempos, tengo la impresión de que estaba medio loco. Sapt me ha dicho que no toleraba ninguna injerencia y no escuchaba ninguna reconvención. Si ha habido algún rey de Ruritania que gobernara como un déspota, ése fui yo en aquellos días. Dondequiera que mirase, no veía nada que me reconciliara con la vida, y traté la mía con el desprecio de quien no teme perderla. Al principio intentaron protegerme, mantenerme a salvo, convencerme de que no me expusiera, pero cuando vieron que no les hacía caso, todos ellos, supiesen la verdad o no, resolvieron dejar que el destino decidiera la cuestión y yo jugara mi partida con Michael como creyera conveniente.

La noche siguiente me levanté de la mesa, donde Flavia se había sentado junto a mí, y la acompañé hasta la puerta de sus habitaciones. Allí le besé la mano y le deseé que tuviera felices sueños. Después me cambié de ropa y salí. Sapt y Fritz me esperaban con seis hombres y los caballos. Sapt llevaba un largo rollo de cuerda encima de la silla, y ambos iban bien armados. Yo había cogido una porra y un cuchillo. Dando un rodeo, evitamos la ciudad, y al cabo de una hora iniciábamos el ascenso de la colina que conducía al castillo de Zenda. Hacía una noche oscura y muy desapacible; ráfagas de viento y grandes gotas de lluvia nos azotaban la cara mientras subíamos laboriosamente la cuesta, y los enormes árboles gemían y suspiraban. Cuando llegamos a un frondoso bosquecillo, a unos cuatrocientos metros del castillo, ordenamos a nuestros seis amigos que se escondieran allí con los caballos. Sapt tenía un silbato, y podrían alcanzarnos en pocos minutos si necesitábamos ayuda, pero, hasta entonces, no habíamos visto a nadie. Confié en que Michael aún estuviera desprevenido, creyéndome en cama. Comoquiera que fuese, coronamos la cima de la colina sin novedad, y nos encontramos al borde del foso que separa el castillo del camino. Junto a la orilla había un árbol y Sapt, silenciosa y diligentemente, empezó a atar la cuerda. Yo me quité las botas, tomé un trago de coñac, preparé el cuchillo y me coloqué la porra entre los dientes. Luego estreché la mano a mis amigos, fingiendo no ver la suplicante mirada de Fritz, y agarré la cuerda. Me disponía a echar una ojeada a la «escala de Jacob».

Me deslicé lentamente hasta el agua. Aunque hacía una noche tormentosa, el día había sido cálido y soleado, y el agua no estaba fría. Solté la cuerda y empecé a nadar pegado a los grandes muros que se levantaban por encima de mi cabeza. No veía más allá de tres metros, así que tenía fundadas esperanzas de no ser descubierto mientras avanzaba a lo largo de la húmeda mampostería salpicada de musgo. Vi luces en la parte nueva del castillo y oí risas y exclamaciones de júbilo. Me pareció reconocer la sonora voz del joven Rupert y me lo imaginé enardecido por el vino. Pronto volví a la realidad y descansé un momento. Si las descripciones de Johann eran exactas, ya debía estar cerca de la ventana. Me moví muy lentamente, y de pronto, un objeto surgió de la oscuridad. Era un tubo que bajaba desde la ventana hasta el agua; se veía más de un metro de su superficie; su circunferencia era tan grande como dos hombres. Estaba a punto de acercarme a él cuando vi algo más y el corazón me dio un vuelco. La proa de un bote sobresalía al otro lado del tubo; escuchando atentamente, oí un leve ruido, el de un hombre cambiando de posición. ¿Quién era el hombre que custodiaba el invento de Michael? ¿Estaba despierto o dormido? Me aseguré de tener el cuchillo preparado, intenté avanzar y, al hacerlo, mis pies tocaron fondo. Los cimientos del castillo se extendían unos cuarenta centímetros, formando un reborde. Me quedé allí con el agua hasta el pecho.Entonces me agaché y miré debajo del tubo, donde, al curvarse, dejaba un espacio.

Había un hombre en el bote. Tenía un rifle a su lado; vi el brillo del cañón. ¡Era el centinela! Estaba muy quieto. Escuché: respiraba pesadamente, regularmente, monótonamente. ¡Santo Dios, estaba dormido! Me arrodillé en el saliente, y fui acercándome por debajo de la tubería hasta que mi cara estuvo a cinco centímetros de la suya. Vi que era un hombre corpulento, después reconocí a Max Holf, el hermano de Johann. Me llevé la mano al cinturón y saqué el cuchillo. De todos los actos de mi vida, éste es el que menos me gusta recordar, y prefiero no preguntarme si fue la acción de un hombre o de un traidor. Me dije a mí mismo: «Es la guerra... y la vida del rey está en juego.» Salí de debajo de la tubería y me encontré junto al bote, que estaba amarrado al borde. Conteniendo el aliento, apunté al lugar preciso y levanté el brazo. El hombre se movió. Abrió los ojos...

más y más. Palideció de terror al verme la cara e intentó asir el rifle. Di en el blanco y oí el estribillo de una canción de amor en la otra orilla.

Dejándolo donde estaba, inerte y ensangrentado, me volví hacia la «escala de Jacob». Disponía de poco tiempo. El turno de guardia de ese hombre podía haber finalizado ya y, en ese caso, el relevo no tardaría en llegar. Inclinándome sobre el tubo lo examiné, desde el extremo cercano al agua hasta el extremo superior, donde pasaba, o parecía pasar, a través de la mampostería de la pared. No había ninguna abertura, ninguna grieta. Me arrodillé e inspeccioné la parte inferior. Y entonces contuve la respiración, porque en esa parte, donde el tubo debería haber estado pegado al muro, había un destello de luz. ¡Aquella luz debía venir de la celda del rey! Puse el hombro contra el tubo y empujé con todas mis fuerzas. La grieta se hizo un poco más grande, pero desistí en seguida; había hecho lo suficiente para saber que el tubo no estaba sujeto a la pared en la parte inferior.

Entonces oí una voz áspera y ronca:

—Bueno, majestad, si ya os habéis cansado de mi compañía, os dejaré para que descanséis, pero antes debo poneros estos pequeños adornos.

¡Era Detchard! Reconocí su acento inglés inmediatamente.

—¿Quiere pedirme alguna cosa, majestad, antes de separarnos?

Siguió la voz del rey. Era la suya, aunque débil, hueca y distinta de los alegres tonos que yo había oído en los claros del bosque.

—Ruegue a mi hermano —dijo el rey— que me mate. Aquí me estoy muriendo poco a poco.

—El duque no desea vuestra muerte, majestad —repuso Detchard con sarcasmo—; cuando lo haga, ¡éste será vuestro camino hacia el cielo!

—¡Que así sea! Y ahora, si sus órdenes se lo permiten, le ruego que me deje.

—¡Que duerma bien! —dijo el rufián.

La luz desapareció. Oí cerrarse los pestillos de la puerta, y después oí los sollozos del rey. Estaba solo, o creía estarlo. ¿Quién habría podido burlarse de él?

No me aventuré a hablarle. El riesgo de que se le escapara alguna exclamación era demasiado grande. Aquella noche no me aventuré a hacer nada; mi único objetivo debía ser ponerme a salvo, y llevarme el cuerpo del hombre muerto. Dejarlo allí sería demasiado comprometedor. Desamarré el bote y subí a bordo. El viento soplaba con gran intensidad y no habría peligro de que alguien oyera los remos. Remé enérgicamente hacia donde esperaban mis amigos. Acababa de llegar cuando oí un silbido a mis espaldas.

—¡Hola Max! —oí gritar.

Llamé a Sapt en voz baja. La cuerda descendió. La até alrededor del cadáver, y después me icé yo mismo por ella.

—Silbe usted también —susurré— para que vengan nuestros hombres, y suba la cuerda. No hable.

Subieron el cadáver. En el momento que alcanzaba el borde del foso, tres hombres a caballo salieron de la parte delantera del castillo. Los vimos con toda claridad, pero como íbamos a pie, ellos no repararon en nosotros. Sin embargo, oímos llegar a nuestros hombres con un grito.

—¡Diablos, qué oscuro está! —exclamó una voz sonora.

Era el joven Rupert. Al cabo de un momento sonaron varios disparos. Nuestros amigos se habían topado con ellos. Eché a correr hacia allí, seguido por Sapt y Fritz.

—¡Al ataque, al ataque! —gritó de nuevo Rupert, y un penetrante gemido indicó que él mismo había pasado a la ofensiva.

—¡Estamos perdidos, Rupert! —gritó una voz—. Son tres contra uno. ¡Huye!

Seguí corriendo, con la porra en la mano. De repente un caballo vino hacia mí. Un hombre iba montado en él, con la cabeza vuelta hacia atrás.

—¿También tú estás herido, Krafstein? —gritó.

No hubo respuesta.

Me abalancé sobre la cabeza del caballo. Era Rupert Hentzau.

—¡Al fin! —exclamé.

Parecía haber caído en nuestro poder. Sólo llevaba la espada en la mano. Mis hombres lo perseguían de cerca; Sapt y Fritz acudían a todo correr. Yo los había dejado atrás, pero si se aproximaban lo suficiente para disparar, tendría que rendirse o morir.

—¡Al fin! —exclamé.

—¡Es el farsante! —exclamó él, descargando la espada sobre mi porra. La cortó limpiamente en dos, y, juzgando la prudencia mejor que la muerte, agaché la cabeza y (me avergüenza decirlo) huí a toda prisa. El diablo se había apoderado de Rupert Hentzau porque clavó espuelas a su caballo, y, cuando volví a mirar, lo vi dirigirse a galope tendido hacia el borde del foso y saltar, mientras las balas de nuestros amigos caían a su alrededor como una lluvia de granizo. Con un solo rayo de luna lo habríamos acribillado, pero, en la oscuridad, llegó al castillo y desapareció de nuestra vista.

—¡Que el diablo lo lleve! —sonrió Sapt.

—Es una lástima —dije yo— que sea un canalla. ¿A quiénes hemos eliminado?

Habíamos eliminado a Lauengram y Krafstein: estaban muertos. Puesto que ya no era necesario ocultar ningún cadáver, los echamos al foso, junto con Max, y, uniéndonos en un compacto grupo, descendimos la colina. Con nosotros iban los cuerpos de tres valientes caballeros. Así regresamos a casa, apesadumbrados por la muerte de nuestros amigos, intranquilos por la suerte del rey, y heridos en lo más vivo por la habilidad del joven Rupert en ganarnos la partida.

Por mi parte, yo estaba irritado y molesto por no haber matado a ningún hombre en lucha abierta, sino sólo acuchillado a un sirviente dormido. Y no me había sentado bien oír a Rupert llamarme farsante.

# 15. CONVERSACION CON UN TENTADOR

Ruritania no es Inglaterra, o la disputa entre el duque Michael y yo no habría podido seguir adelante, con los extraordinarios incidentes que la distinguieron, sin atraer la atención general. Los duelos eran frecuentes entre todas las clases altas, y las disputas particulares entre grandes hombres seguían extendiéndose a sus amigos y subordinados. Sin embargo, después de la refriega que he descrito, empezaron a circular tales rumores que creí necesario tomar ciertas precauciones. La muerte de los caballeros implicados no podía ocultarse a sus familias. Emití un terminante decreto declarando que el duelo había alcanzado unas cotas sin precedentes (el canciller me redactó el documento, y lo hizo muy bien), y prohibiéndolo salvo en los casos más graves. Envié a Michael una cortés disculpa pública, y él me dio una respetuosa contestación. Nuestro único punto de unión era (borrando todas nuestras diferencias y originando una fingida armonía entre nuestros actos) que ninguno de los dos podíamos poner las cartas sobre la mesa. El, igual que yo, era un «farsante» y, a pesar de odiarnos mutuamente, nos unimos para engañar a la opinión pública. Pero, por desgracia, la necesidad de disimular implicaba un retraso; el rey podía morir en su prisión, o incluso ser trasladado a otro lugar; no era posible evitarlo. Durante unos días me vi obligado a observar una tregua. Mi único consuelo fue que Flavia aprobara calurosamente mi edicto contra los duelos y, cuando le expresé mi satisfacción por haber obtenido su aplauso, me rogó, si su aplauso era motivo suficiente para mí, que los prohibiera en su totalidad.

—Espera a que nos casemos —dije sonriendo.

Uno de los resultados de la tregua fue que la ciudad de Zenda se convirtiera durante el día ( no habría confiado en su seguridad por la noche) en una especie de zona neutral, a donde ambos bandos podían ir tranquilamente. Y una tarde que me encontraba allí con Flavia y Sapt, tuve un encuentro con un conocido que resultó un tanto irónico, y a la vez embarazoso. Mientras cabalgaba por las calles me crucé con un hombre que iba en un carruaje de dos caballos. Tiró de las riendas, se apeó y se acercó a mí, inclinándose profundamente; entonces reconocí al jefe de policía de Strelsau.

—El decreto de vuestra majestad respecto a los duelos está recibiendo nuestra mayor atención —me aseguró.

Si la mayor atención implicaba su presencia en Zenda, decidí inmediatamente prescindir de ella,

—¿Es eso lo que lo trae a Zenda, prefecto? —inquirí.

—No, majestad, estoy aquí para complacer al embajador británico.

—¿Qué hace el embajador británico *dans cette galère?* —dije yo con despreocupación.

—Un compatriota suyo, majestad, un hombre de cierta posición, ha desaparecido. Sus amigos no saben nada de él desde hace dos meses, y hay razones para creer que fue visto por última vez en Zenda.

Flavia apenas prestaba atención. Yo no me atreví a mirar a Sapt.

—¿Qué razones?

—Un amigo suyo que vive en París, un tal señor Featherly, nos ha indicado que podría haber venido aquí, y los funcionarios del ferrocarril recuerdan su nombre por el equipaje.

—¿Cómo se llama?

—Rassendyll, majestad —contestó; y vi que el nombre no le decía nada. No obstante, lanzando una mirada a Flavia, añadió en voz más baja—: Se cree que puede haber venido siguiendo a una dama. ¿Ha oído hablar vuestra majestad de una tal madame de Mauban?

—Sí, en efecto —respondí, dirigiendo involuntariamente los ojos hacia el castillo.

—Llegó a Ruritania al mismo tiempo que ese Rassendyll.

Sorprendí la mirada del prefecto; me estaba observando con la curiosidad impresa en la cara.

—Sapt —dije—, tengo que hablar cuatro palabras con el prefecto. ¿Quiere adelantarse un poco con la princesa? —Y, volviéndome hacia el prefecto, añadí—: Vamos, señor, ¿a qué se refiere?

Se acercó a mí y yo me incliné en la silla.

—¿Y si estaba enamorado de la dama? —susurró—. Hace dos meses que no se sabe nada de él —y esta vez fue el prefecto quien dirigió las ojos hacia el castillo.

—Sí, la dama está allí —dije yo con calma—, pero no creo que el señor Rassendyll..., ¿es ése su nombre?, esté allí también.

—Al duque —susurró él— no le gustan los rivales, majestad.

—En eso tiene usted razón —declaré, con toda sinceridad—. Sin embargo, ¿no cree que insinúa algo muy grave?

Extendió la mano a modo de disculpa. Yo le susurré al oído:

—Este es un asunto muy grave. Regrese a Strelsau...

—Pero, majestad, estoy siguiendo una pista.

—Regrese a Strelsau —repetí—. Diga al embajador que tiene una pista, pero que necesita una o dos semanas para investigar. Mientras tanto, yo mismo me encargaré del asunto.

—El embajador está muy interesado, majestad.

—Debe tranquilizarlo. Vamos, hombre. Comprenderá que si sus sospechas son ciertas, es un asunto en el que debemos movernos con precaución. No podemos provocar un escándalo. Regrese esta misma noche.

Prometió obedecerme, y yo volví junto a mis compañeros un poco más sosegado. Había que detener toda investigación sobre mi paradero durante una o dos semanas. El prefecto se había acercado demasiado a la verdad. Su intuición podía significar lo peor para el rey. Maldije interiormente a George Featherly por haberse ido de la lengua.

—Bueno —preguntó Flavia—, ¿has solucionado el asunto?

—Muy satisfactoriamente —contesté—. ¿Qué os parece si damos la vuelta? Estamos casi en el territorio de mi hermano.

En efecto, habíamos llegado al extremo de la ciudad, donde la colina empezaba a subir hacia el castillo. Levantamos la mirada, admirando la belleza de los viejos muros, y vimos que un cortejo descendía lentamente por la colina.

—Regresemos —dijo Sapt.

—Me gustaría quedarme —replicó Flavia; y yo detuve mi caballo junto al suyo.

Ahora ya podíamos distinguir al grupo que se acercaba. Delante cabalgaban dos criados con uniforme negro, adornado únicamente por una insignia de plata. Les seguía un coche tirado por cuatro caballos; encima, bajo un grueso paño, había un ataúd; detrás de él iba un hombre vestido de negro, con el sombrero en la mano. Sapt se descubrió, y continuamos esperando; Flavia se situó muy cerca de mí y puso la mano sobre mi brazo.

—Debe ser uno de los dos caballeros muertos en la reyerta —comentó.

Yo hice una seña a un mozo.

—Acércate y pregunta a quién escoltan —ordené.

Cruzó unas palabras con los criados, y lo vi dirigirse hacia el caballero que iba detrás.

—Es Rupert de Hentzau —susurró Sapt.

Era Rupert y, poco después, tras detener la procesión, Rupert se acercó a mí. Llevaba una levita totalmente abotonada, y pantalones. Parecía muy afligido, y se inclinó con profundo respeto. Pero de pronto sonrió, y yo sonreí también, pues el viejo Sapt se había llevado la mano al bolsillo izquierdo; tanto Rupert como yo adivinamos lo que había en ese bolsillo.

—Vuestra majestad pregunta a quién escoltamos —dijo Rupert—. Es mi querido amigo, Albert de Lauengram.

—Señor —dije yo—, nadie lamenta este desgraciado asunto más que yo. Mi decreto, que espero sea obedecido, es prueba de ello

—¡Pobre muchacho! —exclamó Flavia, y vi que Rupert la miraba. Eso me enfureció, pues, de haber sido por mí, Rupert Hentzau no la habría mancillado ni con una sola mirada. Sin embargo, lo hizo y dejó que la admiración se reflejara en sus ojos.

—Vuestra majestad es muy amable —dijo—. Estoy muy afligido por la pérdida de mi amigo. No obstante, majestad, otros lo seguirán muy pronto.

—Eso es algo a lo que todos estamos expuestos, señor —repliqué.

—Incluso los reyes —dijo Rupert, con tono de advertencia; y el viejo Sapt profirió un juramento en voz baja.

—Es cierto —repuse yo—. ¿Cómo sigue mi hermano, señor?

—Está mejor, majestad.

—Me alegro.

—Confía en poder regresar pronto a Strelsau, en cuanto se haya recuperado del todo.

—Así pues, ¿sólo está convaleciente?

—Aún tiene alguna molestia —respondió el insolente muchacho en el más suave de los tonos.

—Exprésele mi deseo —dijo Flavia— de que pronto esté totalmente restablecido.

—El deseo de vuestra alteza real es, humildemente, el mío —dijo Rupert, con una mirada tan atrevida que hizo que Flavia se sonrojara.

Yo me incliné, y Rupert, tras inclinarse a su vez, hizo retroceder a su caballo e indicó al cortejo que continuara. Cediendo a un súbito impulso, lo seguí. El se volvió rápidamente, temeroso de que, incluso en presencia del muerto y ante los ojos de una dama, me propusiera atacarle.

—La otra noche luchó como un valiente —dije—. Vamos, señor, es usted muy joven. Si me entrega a su prisionero con vida, no le ocurrirá nada.

Miró con una sonrisa burlona; pero de repente se acercó a mí.

—Voy desarmado —dijo—; y nuestro viejo Sapt podría liquidarme en un minuto.

—No tenga miedo.

—¡No, maldito sea! —contestó—. Escuche, una vez le hice una proposición de parte del duque.

—No quiero saber nada de Michael el Negro —repliqué.

—Hágame caso. —Bajó la voz hasta que se convirtió en un susurro—. Ataque el castillo abiertamente. Deje que Sapt y Tarlenheim vayan delante.

—Continúe —dije yo.

—Notifíqueme el día y la hora.

—¡Tengo tanta confianza en usted, señor!

—Oh, vamos, ahora estoy hablando en serio. Sapt y Fritz caerán; Michael el Negro caerá...

—¡Qué!

—... Michael el Negro caerá, como el canalla que es; el prisionero, como usted lo llama, se irá por «la escala de Jacob», ¡esto ya lo sabe!, al infierno. Sólo quedarán dos hombres: yo, Rupert Hentzau, y usted, el rey de Ruritania.

Hizo una pausa y después, con la voz que temblaba de ansia, añadió:

—Es una jugada que vale la pena. ¡Un trono y su princesa! Y para mí, digamos que un buen cargo y la gratitud del rey.

—¡Indudablemente —exclamé—, mientras usted esté vivo, el infierno no tendrá amo!

—Bueno, piénselo —dijo él—. Y, óigame, se necesitaría una fuerza sobrenatural para apartarme de ese hermosa muchacha —y su atrevida mirada volvió a posarse sobre mi amada.

—¡Póngase fuera de mi alcance! —dije, pero al cabo de un momento me eché a reír por su audacia.

—¿Se volvería contra su amo? —pregunté.

Maldijo a Michael por ser el fruto de una unión morganática, y me dijo, en un tono casi confidencial y aparentemente amistoso:

—Se interpone en mi camino, ¿sabe? ¡Es una bestia celosa! Anoche estuve a punto de hundirle un cuchillo en el pecho; se presentó en un momento muy inoportuno.

Logré dominarme; aquello me interesaba.

—¿Una dama? —pregunté como quien no quiere la cosa.

—Sí, y muy guapa —asintió—. Pero usted ya la ha visto.

—¡Ah! ¿Fue durante un té, cuando algunos de sus amigos se pusieron en el lado equivocado de la mesa?

—¿Qué puede esperarse de unos tontos como Detchard y De Gautet? Me habría gustado estar allí.

—¿Y el duque interfiere?

—Bueno —dijo Rupert con actitud meditativa—, no sería justo enfocarlo de ese modo. Soy yo el que quiero interferir.

—¿Y ella prefiere al duque?

—¡Ah, que criatura tan necia! Pero, bueno, usted piense en mi plan —y, con una inclinación de cabeza, espoleó a su caballo y trotó en pos del cadáver de su amigo.

Yo me dirigí hacia Flavia y Sapt, meditando sobre la extraña personalidad de aquel hombre. He conocido a muchos hombres malvados en mi vida, pero ninguno como Rupert Hentzau. Y si hubiese otro en algún lugar, debería ser colgado sin pérdida de tiempo. ¡He dicho!

—Es muy apuesto, ¿verdad? —comentó Flavia.

Naturalmente, ella no lo conocía como yo. Sin embargo, esta observación me irritó, pues pensaba que sus atrevidas miradas la habrían molestado. Pero mi querida Flavia era una mujer, y como tal no se inmutó. Por el contrario, pensaba que el joven Rupert era muy apuesto, como, sin duda, lo era.

—¡Y qué triste parecía por la muerte de su amigo! —añadió.

—Tendrá más motivos para estar triste por la suya —observó Sapt con una siniestra sonrisa.

En cuanto a mí, fui dejándome invadir por el mal humor; quizá fuese absurdo, pues, ¿acaso tenía más derecho a mirarla con amor que el joven Rupert? Y en este estado de ánimo continué hasta que, cuando caía la tarde y estábamos llegando a Tarlenheim, Sapt se quedó rezagado por si alguien nos seguía. Entonces Flavia acercó su caballo al mío y dijo suavemente, con una risita algo avergonzada.

—Si no sonríes, Rudolf, me echaré a llorar. ¿Por qué estás enfadado?

—Por una cosa que ha dicho ese hombre —contesté, pero ya estaba sonriendo cuando llegamos a la puerta y desmontamos.

Allí un criado me alargó una nota; no llevaba el nombre del destinatario.

—¿Es para mí? —pregunté.

—Sí, majestad, la ha traído un muchacho.

Rasgué el sobre:

Johann le entregará esta nota de mi parte. En una ocasión yo le previne. ¡Por el amor de Dios, y si es usted hombre, sáqueme de esta guarida de asesinos! -A. de M.

Se la alargué a Sapt; pero lo único que dijo el imperturbable coronel en respuesta a esa lastimera súplica fue:

—¿Quién es el culpable de que esté aquí?

No obstante, aun sin ser culpable, sentí una profunda compasión por Antoinette de Mauban.

# 16. UN PLAN DESESPERADO

Como es lógico, después de cabalgar abiertamente por Zenda y hablar allí con Rupert Hentzau, todo fingimiento de enfermedad quedó descartado. Observé el efecto producido en la guarnición de Zenda: dejaron de ser vistos en la ciudad; y aquellos de mis hombres que se acercaron al castillo me informaron que allí se había establecido una vigilancia extrema. Afectado como estaba por la súplica de madame de Mauban, me sentía tan incapaz de ayudarla como de liberar al rey. Michael me desafiaba; y aunque él también se había dejado ver fuera del castillo, con más desprecio por las apariencias que el exhibido hasta entonces, no se tomó la molestia de disculparse por no presentar sus respetos al rey. El tiempo siguió pasando en la inactividad cuando cada momento era precioso pues no sólo me enfrentaba con el nuevo peligro que suponían las investigaciones sobre mi desaparición, sino con las murmuraciones que se habían originado en Strelsau ante mi continuada ausencia de la ciudad. Estas habrían sido mayores si Flavia no hubiera estado conmigo; por esta razón le permití quedarse, aunque no me gustaba tenerla donde había tanto peligro, y aunque cada día de nuestras dulces relaciones pusiera a prueba mi resistencia de un modo insoportable. Para colmo de males, recibí la visita de mis consejeros, Strakencz y el canciller, que vinieron expresamente desde Strelsau para pedirme que fijara un día para la ceremonia que en Ruritania es casi tan obligada e importante como la misma boda. Y, con Flavia sentada a mi lado, me vi obligado a hacerlo, fijando la fecha para quince días después, y determinando la catedral de Strelsau como el lugar de la celebración. La noticia fue divulgada a los cuatro vientos, causó una gran alegría en todo el reino, y pasó a ser el tema de todas las conversaciones; creo que sólo hubo dos hombres que no se alegraron: Michael el Negro y yo mismo; y solamente uno que no se enteró: el hombre al que yo hacía días que suplantaba, el verdadero rey de Ruritania.

En realidad, algo supe de cómo se recibió la noticia en el castillo, pues tras un intervalo de tres días, Johann, ávido de más dinero, aunque temeroso por su vida, volvió a hallar un medio para visitarnos. Estaba atendiendo al duque cuando llegaron las nuevas. La cara de Michael el Negro se oscureció aún más y prorrumpió en maldiciones; no se mostró más complacido cuando el joven Rupert declaró que yo haría lo que decía y, volviéndose hacia madame de Mauban, la felicitó por tener una rival menos. Michael se llevó la mano a la espada (dijo Johann), pero Rupert no se inmutó, pues continuó burlándose del duque por haber conseguido un rey mejor que los que habían reinado últimamente en Ruritania. «Y —añadió inclinándose irónicamente ante su exasperado amo— el diablo envía a la princesa un hombre más notable que el que el cielo le había deparado, ¡eso está claro!» Entonces Michael le ordenó bruscamente que se callara y los dejara; pero primero Rupert necesitaba besar la mano de madame, lo que hizo como si fuera su amante, mientras Michael lo fulminaba con la mirada.

Esta fue la más festiva de las noticias de Johann; pero después siguieron otras más serias, y quedó claro que si el tiempo apremiaba en Tarlenheim, no apremiaba menos en Zenda. El rey estaba muy enfermo; Johann lo había visto, y explicó que estaba demacrado y apenas podía moverse. «Ahora sería imposible tomar a otro por él.» Tan alarmados estaban que avisaron a un médico de Strelsau; el médico fue conducido a la celda del rey, salió pálido y tembloroso, y rogó al duque que lo dejara marchar antes de complicarlo más en el asunto; pero el duque se negó, y lo retuvo allí como prisionero, diciendo que su vida estaría a salvo si el rey vivía mientras el duque lo deseara y moría cuando el duque lo deseara, no de otro modo. Y, persuadidos por el médico, dejaron que madame de Mauban visitara al rey y le prodigara los cuidados que su estado requería, y que sólo una mujer puede prodigar. Sin embargo, su vida corría peligro, y yo seguía fuerte, indemne y libre. Así pues, el abatimiento reinaba en Zenda y, salvo cuando se peleaban, a lo cual eran muy propensos, apenas hablaban. Pero pese a la extendida depresión, el joven Rupert iba de un lado a otro con una sonrisa en los ojos y una canción en los labios, y «se desternillaba de risa» (dijo Johann) porque el duque siempre designaba a Detchard para vigilar al rey cuando madame de Mauban estaba en la celda, una preocupación que no era de extrañar en mi desconfiado hermano. Así fue cómo Johann nos contó la historia y obtuvo sus coronas. Sin embargo, nos suplicó que le permitiéramos quedarse con nosotros en Tarlenheim, y no volviéramos a arriesgar su vida en la cueva del león; pero lo necesitábamos allí y, aunque no quise obligarlo, lo convencí con nuevas recompensas para que volviera y le dijera a madame de Mauban que yo estaba trabajando para ella, y que, si podía, deslizara una palabra de aliento al oído del rey, porque aunque la ansiedad es mala para los enfermos, la desesperanza es aún peor, y era posible que el rey se estuviera muriendo de desesperanzas, pues nadie sabía darme razón de la enfermedad que le aquejaba.

—¿Y cómo vigilan ahora al rey? —pregunté, recordando que dos de los Seis estaban muertos, y Max Holf también.

—Detchard y Bersonin vigilan de noche, Rupert y De Gautet de día, señor —contestó.

—¿Sólo dos a la vez?

—Sí, señor; pero los otros están en la habitación de encima, y oirían cualquier grito o silbido.

—¿Encima? No sabía nada. ¿Hay alguna comunicación entre ella y la habitación donde montan guardia?

—No, señor. Hay que bajar unas escaleras, cruzar la puerta del puente levadizo y seguir hasta donde se encuentra el rey.

—¿Está cerrada esa puerta?

—Sólo los cuatro caballeros tienen llave, señor.

Me acerqué más a él.

—¿También tienen la llave de la reja? —pregunté en un susurro.

—Creo, señor, que sólo Detchard y Rupert.

—¿Dónde se aloja el duque?

—En la parte nueva del castillo, en el primer piso. Sus habitaciones están a la derecha del puente levadizo.

—¿Y madame de Mauban?

—Al otro lado, a la izquierda. Pero cierran su puerta con llave en cuanto entra.

—¿Para evitar que se escape?

—Sin duda, señor.

—¿Quizá por alguna otra razón?

—Es posible.

—Y supongo que el duque tiene la llave.

—Sí. Y el puente levadizo se levanta por la noche, y también es el duque quien guarda la llave para que nadie pueda echarlo sin su permiso.

—¿Y dónde duerme usted?

—En el vestíbulo, con cinco criados.

—¿Armados?

—Tienen picas, señor, pero no armas de fuego. El duque no confía suficientemente en ellos para dárselas.

Entonces, por fin, tomé una atrevida decisión. Había fracasado una vez en «la escala de Jacob»; fracasaría de nuevo si volvía a intentarlo. Tenía que atacar por el otro lado.

—Le he prometido veinte mil coronas —dije—. Le daré cincuenta mil si mañana por la noche hace lo que le pido. Pero, primero, ¿saben esos criados quién es el prisionero?

—No, señor. Creen que es un enemigo particular del duque.

—¿Y no dudarán de que yo soy el rey?

—¿Cómo iban a hacerlo? —preguntó.

—Entonces, escuche. Mañana, a las dos en punto de la madrugada, abra la puerta principal del castillo. No se retrase ni un minuto.

—¿Estará usted allí, señor?

—No pregunte. Haga lo que yo le indique. Diga que el vestíbulo está mal ventilado, o lo que quiera. Esto es todo lo que le pido.

—¿Y puedo escabullirme por la puerta, señor, cuando la haya abierto?

—Sí, tan de prisa como le permitan las piernas. Otra cosa. Lleve esta nota a madame de Mauban (está en francés, no puede leerla) y encarézcale, por el bien de todos nosotros, que haga lo que en ella se le ordena.

El hombre estaba temblando, pero decidí confiar en su valor y en su honradez. No me atreví a esperar, pues temía que el rey falleciese.

Cuando Johann se hubo marchado, llamé a Sapt y Fritz y les expuse el plan que había elaborado. Sapt meneó la cabeza al oírlo.

—¿Por qué no puede esperar? —preguntó

—El rey puede morir.

—Michael se verá obligado a actuar antes de eso.

—El rey puede vivir —dije.

—Bueno, ¿y si es así?

—¿Quince días? —pregunté sencillamente.

Y Sapt se mordió el bigote.

De repente Fritz von Tarlenheim puso una mano sobre mi hombro.

—Déjenos ir y hagamos el intento —dijo.

—Contaba con ustedes, no tema —repuse yo.

—Sí, pero usted se quedará aquí, y cuidará a la princesa.

Los ojos del viejo Sapt se iluminaron.

—En ese caso venceríamos a Michael de un modo u otro —rió—; mientras que si usted va y lo matan con el rey, ¿qué será de los que quedemos?

—Servirán a la reina Flavia —dije—, y quiera Dios que yo sea uno de ellos.

Hubo una pausa. El viejo Sapt la rompió diciendo tristemente, aunque con un humor involuntario que hizo que Fritz y yo estalláramos en carcajadas:

—¿Por qué no se casaría Rudolf III con su... bisabuela, no es así?

—Vamos —dije yo—, se trata del rey.

—Es verdad —dijo Fritz.

—Además —proseguí—, he sido un impostor en beneficio de otro, pero no lo seré en el mío; y si el rey no está vivo y sentado en su trono el día del compromiso oficial, confesaré la verdad, suceda lo que suceda.

—Irá con nosotros, muchacho —dijo Sapt.

Este es el plan que había trazado. Un numeroso destacamento, al mando de Sapt, avanzaría furtivamente hasta la puerta del castillo. Si fueran descubiertos, matarían a quien los hubiese visto (con las espadas, pues no debía oírse ningún disparo). Si todo iba bien, estarían junto a la puerta cuando Johann la abriera. Irrumpirían en el vestíbulo y reducirían a los criados si su mera presencia y el uso del nombre del rey no eran suficientes. En el mismo momento, y de esto dependía el plan, se oiría un fuerte grito de mujer en la habitación de Antoinette de Mauban. Debería gritar una y otra vez: «¡Socorro, socorro! ¡Michael, socorro!» y después pronunciaría el nombre del joven Rupert Hentzau. Luego, como yo esperaba, Michael saldría, furioso, de sus habitaciones, y caería en manos de Sapt. Sin embargo, los gritos continuarían y mis hombres bajarían el puente levadizo; sería muy extraño que Rupert, al oir pronunciar su nombre en vano, no bajara de donde estuviera durmiendo e intentase cruzarlo. Quizá De Gautet fuera con él: eso habría que dejarlo al azar.

Y cuando Rupert pusiera los pies en el puente levadizo, intervendría yo, pues debería tomar otro baño en el foso. Por miedo a cansarme, había decidido llevar una escalera de madera, sobre la que apoyar los brazos en el agua, y los pies cuando saliera de ella. La levantaría contra el muro que hay junto al puente, y cuando lo tendieran, me encaramaría silenciosamente; si Rupert o De Gautet cruzaban sanos y salvos, sería para desgracia mía, no por mi culpa. Muertos ellos, sólo quedarían dos hombres, que podríamos eliminar gracias a la confusión que habríamos creado y en un ataque por sorpresa. Tendríamos las llaves de la puerta que conducía a las habitaciones más importantes. Quizá huyeran. Si cumplían sus órdenes, la vida del rey dependería de la rapidez con que nosotros derribáramos la puerta exterior; y di gracias a Dios de que no fuese Rupert Hentzau quien montara guardia sino Detchard. Aunque Detchard era un hombre audaz, inexorable y nada cobarde, no tenía el ingenio ni la temeridad de Rupert. Además, él apreciaba más que ninguno a Michael el Negro, y era posible que dejara a Bersonin a cargo del rey, y cruzara el puente para tomar parte en la refriega que se desarrollaba al otro lado.

Y seguí haciendo planes... desesperadamente. A fin de que nuestro enemigo no sospechara absolutamente nada, di orden de que nuestra residencia estuviese bien iluminada, como si celebráramos una fiesta, con música y mucha gente yendo de un lado a otro. Strakencz estaría allí y, si podía, debería ocultar nuestra partida a Flavia. Si no regresábamos antes del amanecer, marcharía hacia el castillo con sus fuerzas y exigiría la persona del rey; si Michael el Negro no estaba allí, como yo suponía, el mariscal conduciría a Flavia a Strelsau lo más rápidamente posible, y allí anunciaría la traición de Michael el Negro y la probable muerte del rey, y reuniría a todos los que fueran leales y honrados bajo el estandarte de la princesa. A decir verdad, esto es lo que yo consideraba más probable, pues dudaba que al rey, a Michael el Negro o a mí mismo nos quedara más de un día de vida. Pero si Michael moría, y si yo, el farsante, mataba a Rupert Henzau con mis propias manos, y después moría a mi vez, podría suceder que el destino tratara tan benignamente a Ruritania como era de esperar, aun cuando exigiera la vida del rey; y si a mí me trataba del mismo modo, no tendría ninguna objeción que hacer.

Era tarde cuando dimos por finalizada la conferencia, me dirigí hacia las habitaciones de la princesa. Aquella noche se mostró pensativa; sin embargo, cuando me disponía a marcharme, me rodeó con los brazos y se ruborizó tímidamente mientras me deslizaba un anillo en el dedo. Yo llevaba el anillo del rey; pero en el dedo meñique también llevaba un sencillo aro de oro con la divisa de nuestra familia: «*Nil Quae Feci*». Me lo quité y se lo puse, y le indiqué que me dejara marchar. Ella, comprendiéndolo, se apartó y me miró con los ojos húmedos.

Lleva este anillo, aunque lleves otro cuando seas reina —le dije.

—Pase lo que pase, llevaré éste hasta el día de mi muerte, e incluso después —contestó ella, besando el anillo.

# 17. LAS DIVERSIONES NOCTURNAS DEL JOVEN RUPERT

Al fin llegó la noche, hermosa y clara. Yo había rezado para que hiciera mal tiempo, como el que había favorecido mi anterior travesía del foso, pero esta vez la fortuna estuvo contra mí. Sin embargo, supuse que si me mantenía pegado al muro, no habría peligro de que me vieran desde las ventanas que daban al escenario de mis acciones. Si vigilaban el foso, no cabía duda de que mi plan fracasaría; pero no creía que lo hicieran. Se habían asegurado de que «la escala de Jacob» resistía cualquier agresión. El mismo Johann había ayudado a fijarla al muro por la parte inferior, de modo que no se movía en absoluto. Sólo un asalto con explosivos o un prolongado ataque con picos podría desplazarla y el ruido que implicaba cualquiera de estas operaciones, obligaba a descartarlas. Así pues, ¿qué mal podía hacer un hombre en el foso? Esperaba que Michael el Negro, al hacerse esta pregunta, respondiera confiadamente: «Ninguno.» Por otra parte, aunque Johann pensara traicionarnos, no conocía mis planes, y sin duda esperaría verme, a la cabeza de mi gente, ante la puerta principal del castillo. Allí, le dije a Sapt, estaría el verdadero peligro.

—Y allí —añadí— estará usted. ¿Está satisfecho?

—Pero no le satisfacía. A él le habría gustado venir conmigo, si yo no me hubiera negado terminantemente a llevarlo. Un hombre podía pasar desapercibido, pero duplicar el número significaría también duplicar el riesgo. Cuando se atrevió a insinuar nuevamente que mi vida era demasiado valiosa, yo, conocedor de sus designios secretos, lo hice callar asegurándole que a menos que el rey sobreviviera a aquella noche, yo tampoco sobreviviría.

A las doce el comando de Sapt abandonó la residencia de Tarlenheim y se dirigió hacia la derecha, tomando caminos poco frecuentados y eludiendo la ciudad de Zenda. Si todo iba bien, estarían frente al castillo hacia las dos menos cuarto. Después de dejar los caballos a un kilómetro de distancia, avanzarían furtivamente hacia la entrada y esperarían hasta que Johann les abriera la puerta. Si la puerta no se abría a las dos, enviarían a Fritz von Tarlenheim al otro lado del castillo. Allí nos encontraríamos, si aún yo estaba vivo, y decidiríamos si asaltábamos el castillo o no. Si yo no estaba allí, regresarían a Tarlenheim lo más rápidamente posible, despertarían al mariscal, y marcharían con todas las fuerzas hacia Zenda. Porque en ese caso, yo estaría muerto; y todos sabíamos que el rey no llegaría a vivir cinco minutos más que yo.

Ahora debo dejar a Sapt y sus amigos, y explicar lo que fue de mí en aquella noche memorable. Salí montado en el robusto caballo que había utilizado la noche de la coronación para ir desde el pabellón de caza hasta Strelsau. Llevaba un revólver en la silla y la espada. Iba cubierto por una amplia capa, debajo de la cual me había puesto un grueso y ajustado jersey de lana, un par de pantalones bombachos, y unos zapatos ligeros de lona. Me había untado concienzudamente con aceite, y llevaba un gran frasco de whisky. La noche era cálida, pero tendría que estar sumergido mucho rato y era necesario protegerse contra el frío, pues el frío no sólo mina el valor de un hombre que tiene que morir, sino que menoscaba su energía si otros han de morir y, finalmente, le produce reuma, si es la voluntad de Dios que siga con vida. También me até una cuerda fina pero resistente alrededor del cuerpo, y no olvidé la escalera. Salí después de Sapt y tomé un camino más corto, bordeé la ciudad por la izquierda, y me encontré en el lindero del bosque hacia las doce y media. Até mi caballo en un bosquecillo, dejé el revólver enfundado en la silla, pues no lo iba a necesitar y, con la escalera en la mano, me dirigí hacia el borde del foso. Allí desaté la cuerda que llevaba en la cintura, la amarré con fuerza al tronco de un árbol que había en la orilla y me descolgué por ella. El reloj del castillo dio la una menos cuarto cuando me metí en el agua y empecé a nadar rodeando el torreón, empujando la escalera delante de mí, y ciñéndome al muro del castillo. De este modo llegué hasta mi vieja amiga, «la escala de Jacob», y noté el reborde del muro bajo mis pies. Me agaché al amparo del gran tubo, intenté moverla, pero no pude; esperé. Recuerdo que mi sensación dominante no era preocupación por el rey ni ansiedad por Flavia, sino un intenso deseo de fumar, y, como es natural, no pude satisfacer mis ansias.

El puente levadizo aún estaba en su lugar. Vi su ligero armazón encima de mí, unos diez metros a mi derecha, mientras permanecía agachado con la espalda contra la pared de la celda del rey. Distinguí una ventana a dos metros de él y casi al mismo nivel. Esta, si Johann había dicho la verdad, debía pertenecer a las habitaciones del duque; y al otro lado, más o menos en el mismo sitio, debía estar la ventana de madame de Mauban. Las mujeres son criaturas despreocupadas y olvidadizas. Recé para que no olvidara que debía ser la víctima de un brutal ataque a las dos en punto. Sonreí con diversión al pensar en el papel que había asignado a mi joven amigo Rupert Hentzau, pero tenía una cuenta pendiente con él; incluso estando inmóvil, notaba dolor en el hombro donde, con una audacia que parecía encubrir su perfidia, me había apuñalado, a la vista de todos mis hombres, en la terraza de Tarlenheim.

De repente la ventana del duque se iluminó. Los postigos no estaban cerrados, y alcancé a ver parcialmente el interior cuando me levanté con cautela y me puse de puntillas. En esta posición mi radio de visión abarcaba algo más de un metro hacia el interior de la habitación, mientras que la luz no me alcanzaba. La ventana se abrió súbitamente y alguien se asomó. Distinguí la grácil figura de Antoinette de Mauban y, aunque tenía la cara en la sombra, el hermoso contorno de su cabeza destacaba vista a contraluz. Estuve a punto de susurrarle: «¡Recuerde!», pero no me atreví, y fue una suerte, pues al cabo de un momento apareció un hombre y se colocó a su lado. Intentó rodearle la cintura con un brazo, pero ella se retiró con brusquedad y se apoyó contra el postigo, de perfil a mí. Entonces vi quién era el recién llegado: nada menos que el joven Rupert. Una de las carcajadas que profirió mientras se inclinaba hacia delante, alargando la mano hacia ella, me lo confirmó.

—¡Despacio, despacio! —murmuré—. ¡Es demasiado pronto, muchacho!

Su cabeza estaba muy próxima a la de ella. Supongo que le susurró algo, pues la vi señalar hacia el foso, y le oí decir con voz resuelta y clara:

—¡Preferiría tirarme por esta ventana!

El se acercó a la ventana y miró hacia fuera.

—Debe estar muy fría —dijo—. Vamos, Antoinette, ¿habla en serio?

Ella no contestó, o yo no oí la respuesta; y él, apoyándose con petulancia en el alféizar de la ventana, prosiguió, con voz de niño mimado:

—¡Maldito sea Michael el Negro! ¿No es la princesa suficiente para él? ¿Acaso debe tenerlo todo? ¿Qué diablos ve en Michael el Negro?

—Si le contara lo que dice... —empezó ella.

—Bueno, cuénteselo —replicó Rupert con despreocupación; y cogiéndola desprevenida, se abalanzó sobre ella y la besó, riendo y exclamando—: ¡Así tendrá algo que contarle!

Si hubiera llevado el revólver, habría estado tentado de usarlo. No siendo así, me limité a añadir un nuevo insulto a la lista.

—Aunque, la verdad —dijo Rupert—, no creo que le importara. Está loco por la princesa, ¿sabe? No habla más que de cortarle el cuello a ese farsante.

—¿Sería así, realmente?

—Y si le ahorro el trabajo, ¿que cree que me ha prometido?

La infeliz mujer levantó las manos por encima de la cabeza sin poder ocultar su desesperación.

—Pero yo detesto esperar —dijo Rupert; y vi que alargaba de nuevo la mano hacia ella cuando se oyó el ruido de una puerta al abrirse, y una voz áspera exclamó:

—¿Qué está usted haciendo aquí?

Rupert se volvió de espaldas a la ventana, se inclinó profundamente y dijo, con voz firme y jovial:

—Disculpar vuestra ausencia, señor. ¿Podía dejar sola a la dama?

El recién llegado debía ser Michael el Negro. Lo vi claramente cuando se aproximó a la ventana. Agarró al joven Rupert por el brazo.

—¡El foso albergará a alguien más que el rey! —dijo con un gesto muy significativo.

—¿Me está amenazando vuestra alteza? —preguntó Rupert.

—Una amenaza es un aviso que pocos hombres reciben de mí.

—Sin embargo —observó Rupert—, Rudolf Rassendyll ha sido amenazado varias veces y... ¡sigue vivo!

—¿Tengo yo la culpa de que mis servidores sean tan torpes? —preguntó Michael con desdén.

—¡Vuestra alteza aún no ha demostrado no serlo! —replicó Rupert burlonamente.

Le estaba diciendo al duque que eludía el peligro más claramente de lo que yo había oído jamás. Michael el Negro sabía dominarse. Me atrevería a asegurar que frunció el ceño (lamenté no verles mejor las caras), pero su voz fue firme y tranquila cuando respondió:

—¡Bueno, bueno, ya está bien! No debemos pelearnos, Rupert. ¿Están Detchard y Bersonin en su puesto?

—Así es, señor.

—No lo necesitaré más.

—No os preocupéis, no estoy cansado —dijo Rupert.

—Le ruego, señor, que nos deje —insistió Michael, con evidente impaciencia—. El puente levadizo será retirado dentro de diez minutos, y supongo que no le apetecerá ir nadando hasta su cama.

La figura de Rupert desapareció. Oí que la puerta se abría y volvía a cerrarse. Michael y Antoinette de Mauban se habían quedado solos. Para mi consternación, el duque alargó la mano hacia la ventana y la cerró. Estuvo hablando con Antoinette unos momentos. Después ella negó con la cabeza, y él se apartó con impaciencia. Antoinette se alejó de la ventana. La puerta se oyó de nuevo, y Michael el Negro cerró los postigos.

—¡De Gautet, De Gautet! ¿Dónde estás? —oí gritar desde el puente levadizo—. ¡Si no quieres darte un baño antes de acostarte, ven en seguida!

Era la voz de Rupert, procedente del extremo del puente levadizo. Al cabo de un momento él y De Gautet aparecieron en el puente. Rupert había cogido del brazo a De Gautet; hacia la mitad del puente detuvo a su compañero y se inclinó hacia delante. Yo me agazapé al amparo de la «escala de Jacob»

Entonces el joven Rupert decidió divertirse un poco. Cogió una botella que llevaba De Gautet y se la acercó a los labios.

—¡No hay ni una gota! —exclamó con descontento, y la tiró al foso.

Cayó, como juzgué por el sonido y los círculos del agua, a un metro del tubo, y Rupert, sacando su revólver, empezó a disparar contra ella. Los dos primeros disparos erraron el blanco, pero dieron en el tubo. El tercero hizo añicos la botella. Confié en que el joven canalla estuviera satisfecho; pero vació el resto del cargador contra el tubo, y un proyectil, pasando por encima de él, me rozó el cabello mientras yo agachaba aún más la cabeza.

—¡Ah del puente! —gritó una voz, para alivio mío.

—¡Un momento! —contestaron Rupert y De Gautet, y cruzaron a todo correr. El puente fue retirado y se hizo el silencio. El reloj dio la una y cuarto. Yo me levanté, me desperecé y bostecé.

Creo que habían pasado unos diez minutos cuando oí un ligero ruido a mi derecha. Escudriñé por encima del tubo y vi una figura junto a la puerta que conducía al puente. Era un hombre. Por su porte gallardo y desenvuelto, adiviné que volvía a ser Rupert. Llevaba una espada en la mano y permaneció inmóvil durante uno o dos minutos. Toda clase de pensamientos cruzaron por mi mente. ¿Qué nueva fechoría se le habría ocurrido? Después se rió quedamente, se volvió de cara a la pared, dio un paso hacia mí y, ante mi sorpresa empezó a bajar por la pared. En seguida comprendí que debía de haber escalones en el muro; era evidente. Estaban tallados en la piedra o adheridos a ella a intervalos de unos cincuenta centímetros. Rupert apoyó el pie en el último. Luego se puso la espada entre los dientes, dio media vuelta, y se introdujo quedamente en el agua. Si sólo se hubiese tratado de mi vida, habría ido a su encuentro. Me habría encantado ajustarle las cuentas allí mismo con el acero, en una hermosa noche y sin que nadie pudiera interponerse entre nosotros. ¡Pero estaba el rey! Me dominé, pero no pude refrenar mi acelerada respiración, y le observé con un ansia incontenible.

Atravesó el fondo nadando pausada y silenciosamente. En el otro lado había más escalones y los subió. Cuando llegó arriba se metió la mano en el bolsillo y sacó algo. Le oí abrir la puerta, pero no la oí cerrarse tras él. Desapareció de mi vista.

Abandoné la escalera puesto que ya no la necesitaba, nadé hacia el puente y trepé hasta la mitad de los escalones. Allí me detuve con la espada en la mano y escuché ansiosamente. La habitación del duque estaba a oscuras. Había luz en la ventana del otro lado del puente. Ni el más leve sonido rompió el silencio hasta que sonó la una y media en el gran reloj del torreón del castillo.

Mi complot no era el único que se estaba llevando a cabo esa noche en el castillo.

# 18. SUCESOS INESPERADOS

La posición en que me hallaba no parece muy favorable para reflexionar; sin embargo, eso es lo que hice a continuación. Como me dije a mí mismo, me había apuntado un tanto. Cualquiera que fuese la intención de Rupert Hentzau, y la infamia que se disponía a realizar, me había apuntado un tanto. Estaba en el lado del foso opuesto al del rey, y no sería por culpa mía si volvía a poner los pies en el otro lado. Me quedaban tres hombres de los que encargarme: los dos que estaban de guardia y De Gautet, que había ido a acostarse. ¡Ah, si hubiese tenido las llaves! Lo habría arriesgado todo y atacado a Detchard y Bersonin antes de que sus amigos pudieran unirse a ellos. Pero no podía hacerlo. Tenía que esperar hasta que la llegada de mi gente indujera a alguien a cruzar el puente, alguien que tuviera las llaves. Y esperé lo que me pareció media hora, y en realidad sólo fueron cinco minutos, antes de que comenzara el siguiente acto de aquella rápida representación.

En el otro lado todo estaba tranquilo. La habitación del duque continuaba inescrutable detrás de los postigos. La luz seguía encendida en la ventana de madame de Mauban. De repente oí un ligerísimo ruido; venía de detrás de la puerta que conducía al puente levadizo en el otro lado del foso. Apenas llegó a mis oídos, pero no cabía error posible respecto a su naturaleza. Había sido una llave al girar lenta y suavemente en una cerradura. ¿Quién la había hecho girar? ¿Y a qué habitación pertenecía? Me imaginé al joven Rupert con la llave en una mano, la espada en la otra y una sonrisa perversa en el rostro. Pero no sabía de qué puerta se trataba, ni a cuál de sus pasatiempos favoritos estaba dedicando el joven Rupert las horas de aquella noche.

No tardé en averiguarlo, pues al cabo de un momento, antes de que mis amigos pudieran llegar a la puerta del castillo y antes de que Johann, el guardabosque, pensara en atreverse a abrirla, oí un súbito ruido en la habitación de la ventana iluminada, como si alguien hubiese tirado una lámpara, y la ventana se oscureció. En el mismo instante sonó un grito agudo en el silencio de la noche: «¡Socorro, socorro! ¡Michael, socorro!», al que siguió un alarido de verdadero terror.

Me estremecí de pies a cabeza. Estaba en el escalón más alto, agarrado al marco de la puerta con la mano derecha y asiendo la espada con la izquierda. De pronto vi que la plataforma era mas ancha que el puente; en el lado opuesto había un rincón oscuro donde cabía un hombre. La atravesé rápidamente y me aposté allí. En aquel lugar controlaba el paso, y ningún hombre podría trasladarse del castillo nuevo al viejo sin vérselas conmigo.

Se oyó otro chillido. Después oí que una puerta se abría y se golpeaba contra la pared, y que alguien retorcía violentamente el pomo de la puerta.

—¡Abre la puerta! Por Dios, ¿qué sucede? —gritó una voz, la voz de Michael el Negro en persona.

Le contestaron las mismas palabras que yo había escrito en mi carta.

—¡Socorro, Michael... Hentzau!

El duque profirió un rabioso juramento, y con un golpe sordo arremetió contra la puerta. En el mismo momento oí abrirse una ventana encima de mi cabeza. Una voz gritó: «¿Qué ocurre?» y oí los pasos apresurados de un hombre. Agarré la espada con fuerza. Si De Gautet pasaba por donde yo estaba, los Seis perderían a otro de sus miembros.

Entonces oí el sonido de espadas en combate y un ruido de pies, y no puedo explicarlo tan rápidamente como sucedió, pues todo pareció ocurrir al mismo tiempo. Hubo un grito de cólera en la habitación de madame de Mauban, el grito de un hombre herido; la ventana se abrió de par en par; el joven Rupert apareció con la espada en la mano. Se volvió de espaldas y vi que su cuerpo se abalanzaba hacia delante para dar una estocada.

—¡Ah, Johann, hay una para ti! ¡Vamos, Michael!

Así pues... Johann estaba allí... ¡Había acudido en auxilio del duque! ¿Cómo nos abriría la puerta? Temí que Rupert lo hubiese matado.

—¡Socorro! —gritó la voz del duque, tenue y ronca.

Oí un paso en la escalera que había encima de mí, y un ligero ruido debajo y hacia la izquierda, donde estaba la celda del rey. Pero, antes de que pasara nada en mi lado del foso, vi que cinco o seis hombres rodeaban a Rupert junto a la ventana. Les atacó tres o cuatro veces con incomparable arrojo y destreza. Ellos retrocedieron un instante, dejando un espacio a su alrededor. Saltó al antepecho de la ventana, riéndose y agitando la espada en la mano. Estaba borracho de sangre, y volvió a reírse estrepitosamente cuando se tiró de cabeza al foso.

—¿Qué fue de él entonces? No lo vi, porque cuando saltó, el enjuto rostro de De Gautet apareció por la puerta situada junto a mí y, sin un segundo de vacilación, le clavé la espada con todas mis fuerzas y cayó muerto en el umbral sin una palabra o un gemido. Me arrodillé a su lado. ¿Dónde estaban las llaves? Me sorprendí murmurando: «¿Las llaves, hombre, las llaves?», como si estuviera vivo y pudiese oírme. Al no encontrarlas, ¡que Dios me perdone!, creo que le di una bofetada a un hombre muerto.

Al fin las encontré. Sólo había tres. Cogí la más grande y busqué a tientas la cerradura de la puerta que conducía a la celda. Metí la llave. Entró sin dificultad. La cerradura giró. Cerré la puerta a mi espalda, eché la llave tan silenciosamente como pude, y me la metí después en el bolsillo.

Me encontré en la parte superior de un tramo de empinados escalones de piedra. Había una lámpara de aceite encendida. La cogí y la levanté sobre mi cabeza. Permanecí inmóvil y esperé.

—¿Qué diablos puede ser? —oí que decía una voz.

Venía de detrás de la puerta situada al pie de los escalones.

Y otra contestó:

—¿Lo matamos?

Agucé el oído para enterarme de la respuesta, y habría llorado de alivio cuando oí la voz de Detchard, áspera y fría:

—Espera un poco. Si nos precipitamos, tendremos problemas.

Se produjo un momento de silencio. Luego oí descorrer cautelosamente el cerrojo de la puerta. Me apresuré a apagar la lámpara y volví a colocarla donde estaba.

—Está oscuro... la lámpara se ha apagado. ¿Tienes una luz? —dijo otra voz, la de Bersonin.

Sin duda tenían una luz, pero no debían utilizarla. Había llegado el momento crítico; bajé rápidamente los escalones, y me lancé contra la puerta. Bersonin no había vuelto a correr el cerrojo y cedió ante mí. El belga estaba de pie con la espada en la mano y Detchard estaba sentado en un diván a un lado de la habitación. Sorprendido por mi brusca entrada, Bersonin retrocedió; Detchard se abalanzó sobre su espada. Yo arremetí contra el belga; el siguió retrocediendo, y lo arrinconé contra la pared. No era un buen espadachín, aunque luchó valerosamente, y al cabo de un momento yacía muerto en el suelo frente a mí. Me volví, pero Detchard no estaba allí. Fiel a sus órdenes, no se había arriesgado a combatir conmigo, sino que había corrido hacia la puerta de la habitación del rey, la había abierto y la había cerrado de golpe tras de sí. En aquel momento debía de estar ejecutando su trabajo.

Y seguramente habría matado al rey, y quizá también a mí, de no ser por un hombre leal que dio su vida por el rey. Porque cuando derribé la puerta, lo que vi fue esto: el rey estaba en un rincón de la habitación; minado por la enfermedad, no podía hacer nada; sus manos encadenadas se movían inútilmente y su cuerpo se convulsionaba con una risa demencial. Detchard y el médico se hallaban en el centro de la habitación; el médico se había abalanzado sobre el asesino, inmovilizándolo durante unos momentos. Después Detchard se liberó de una sacudida y, cuando entré, traspasó al desventurado con la espada. Luego se volvió hacia mí gritando:

—¡Al fin!

Las fuerzas estaban igualadas. Por una bendita casualidad, ni él ni Bersonin llevaban sus revólveres. Los encontré más tarde, cargados y dispuestos, sobre la repisa de la chimenea de la habitación exterior; estaban muy cerca de la puerta, al alcance de su mano, pero mi súbita entrada les había cortado el acceso a ellos. Sí, éramos un hombre contra otro y empezamos a luchar, silenciosa, enérgica y violentamente. Sin embargo, apenas recuerdo nada del combate, salvo que aquel hombre era tan buen espadachín como yo, no, mejor, pues sabía más trucos que yo, y consiguió arrinconarme contra los barrotes que protegían la entrada a «la escala de Jacob». Vi una sonrisa en su cara, y me hirió en el brazo izquierdo.

No puedo apuntarme el triunfo en aquel torneo. Creo que él me habría vencido y matado, y después me hubiera descuartizado, pues era el espadachín más diestro que he conocido jamás, pero, mientras arremetía contra mí, la criatura pálida, demacrada y media loca que yacía en el rincón tuvo un acceso de lunática alegría y gritó:

—¡Es el primo Rudolf! ¡Primo Rudolf! ¡Te ayudaré, primo Rudolf! —Y cogiendo una silla con las manos (sólo pudo levantarla del suelo y sujetarla inútilmente frente a sí), vino hacia nosotros. La esperanza renació en mi interior.

—¡Vamos! —exclamé—. ¡Vamos! ¡Contra sus piernas!

Detchard respondió con una feroz estocada. Casi me alcanzó.

—¡Vamos! ¡Vamos, hombre! —exclamé—. ¡Aquí hay diversión para todos!

El rey se rió alegremente y se acercó empujando la silla ante él.

Con un juramento Detchard saltó hacia atrás y, antes de que yo pudiera reaccionar, había vuelto su espada contra el rey. Lo alcanzó de lleno, y el rey, con un grito lastimero, se desplomó donde estaba. El intrépido canalla se volvió de nuevo hacia mí. Pero su propia mano había preparado su destrucción, porque al volverse pisó el charco de sangre que manaba del médico muerto, resbaló y se cayó. Me abalancé sobre él como una flecha. Lo agarré por el cuello y, antes de que pudiera recobrarse, le clavé la punta de la espada en la garganta. Con una maldición ahogada se desplomó sobre el cuerpo de su víctima.

—¿Estaba muerto el rey? Este fue mi primer pensamiento. Corrí hacia donde estaba. Sí, parecía estar muerto, pues tenía una gran herida en la frente, y yacía inmóvil en el suelo. Me arrodillé junto a él, y acerqué la oreja a su pecho para oír si respiraba. Pero antes de que pudiera hacerlo, se oyó un gran estrépito en el exterior. Reconocí el sonido: estaban tendiendo el puente levadizo. Al cabo de un momento alcanzó el muro de mi lado del foso. Me cogerían en una trampa y al rey conmigo si aún vivía. Tendría que arriesgarse a vivir o a morir. Tomé mi espada y pasé a la habitación exterior. ¿Quién tendería el puente?, ¿mis hombres? En ese caso, todo iba bien. Mi mirada se posó sobre los revólveres y agarré uno; luego me detuve a escuchar en el umbral de la habitación exterior. ¿A escuchar, digo? Sí, y a recuperar el aliento. Me desgarré la camisa y me enrollé una tira alrededor del brazo herido. Volví a escuchar. Habría dado todo lo que tenía por oír la voz de Sapt porque estaba débil, cansado y desanimado. Y aquella fiera de Rupert Hentzau aún rondaba por el castillo. Sin embargo, como podía defender mejor la estrecha puerta de las escaleras que la más amplia entrada de la habitación, me arrastré escaleras arriba y aguardé tras ella, escuchando.

¿Qué sonido era aquél? Un sonido muy extraño para el lugar y el momento. Una risa fácil, desdeñosa y alegre, ¡la risa del joven Rupert Hentzau! Apenas pude creer que un hombre cuerdo fuese capaz de reírse así. Sin embargo, la risa me reveló que mis hombres no habían venido, porque, en ese caso, ya habrían matado a Rupert. ¡Y el reloj dio las dos y media! ¡Dios mío! ¡Johann no había abierto la puerta! ¡Habían ido al borde del foso! ¡No me habían encontrado! Ya debían estar camino de Tarlenheim con la noticia de la muerte del rey... y la mía. Bueno, sería cierta antes de que llegaran allí. ¿Acaso la risa de Rupert no era triunfal?

Por espacio de un momento me apoyé, desalentado contra la puerta. Después me sobrepuse ya que Rupert gritó desdeñosamente:

—¡Bueno, el puente está allí! ¡Cruzadlo! Y, por Dios que Michael el Negro dé la cara. ¡Atrás canallas! ¡Michael, ven y lucha por ella!

Si era una lucha de tres contendientes, aún podía tomar parte en ella. Di la vuelta a la llave de la puerta y me asomé.

# 19. CARA A CARA EN EL BOSQUE

Durante unos momentos no distinguí nada pues el fulgor de las linternas y antorchas me dio en los ojos desde el otro lado del puente. Después la escena se aclaró; era una escena extraña. El puente estaba tendido. En el otro extremo había un grupo de sirvientes del duque; dos o tres llevaban las luces que me habían deslumbrado, tres o cuatro sostenían picas en ristre. Estaban apiñados; sus armas sobresalían ante ellos; tenían la cara pálida y tensa. Para decirlo claramente, parecían muy asustados y observaban con aprensión a un hombre que estaba en mitad del puente, con la espada en la mano. Rupert Hentzau no llevaba más que los pantalones y la camisa; ésta estaba cubierta de sangre, pero su actitud animada y desenvuelta me reveló que no tenía ni el más leve rasguño. Allí estaba, defendiendo el puente contra ellos, y retándolos a que avanzaran, o, más bien, incitándolos a que le enviaran a Michael el Negro; y ellos, desprovistos de armas de fuego, se acobardaron ante el temerario Rupert y no se atrevieron a atacarlo. Susurraban entre sí; en la última fila, vi a mi amigo Johann, apoyado en el quicio de la puerta, enjugando con un pañuelo la sangre que le manaba de una herida en la mejilla.

Por una maravillosa casualidad, yo era el amo. Los cobardes no se oponían a Rupert. No tenía más que levantar el revólver y enviarlo al infierno con sus pecados encima. El ignoraba que yo estaba allí. Pero no hice nada, aún hoy me pregunto por qué. Había matado furtivamente a un hombre aquella noche, y a otro por suerte más que destreza..., quizá fue eso. Además, por muy canalla que fuese el joven Rupert, no me gustaba ser uno de tantos contra él..., quizá fue eso. Pero con más fuerza que cualquiera de estos sentimientos reprimidos sentí una curiosidad y una fascinación que me mantuvieron paralizado, esperando el desarrollo de los acontecimientos.

—¡Michael, canalla! ¡Michael! ¡Si puedes tenerte en pie, ven! —gritó Rupert, y dio un paso hacia adelante, haciendo retroceder al grupo que tenía enfrente—. ¡Michael, bastardo! ¡Ven!

En respuesta a su desafío se oyó el desesperado grito de mujer:

—¡Está muerto! ¡Dios mío, está muerto!

—¡Muerto! —gritó Rupert—. ¡Lo he hecho mejor de lo que creía! —Y rió triunfalmente. Después prosiguió—: ¡Abajo las armas! ¡Ahora soy vuestro saeñor! ¡Abajo, he dicho!

Creo que le habrían obedecido, pero mientras hablaba ocurrieron nuevos sucesos. En primer lugar, se oyó un sonido lejano, como de gritos y golpes procedentes del otro lado del castillo. El corazón me dio un brinco. Debían ser mis hombres, que venían a buscarme contraviniendo mis órdenes. El ruido continuó, pero ninguno de los demás pareció oírlo. Su atención se centraba en lo que ahora sucedía ante sus ojos. El grupo de sirvientes se separó y una mujer apareció en el puente. Antoinette de Mauban, con una amplia bata blanca y el cabello negro suelto sobre los hombros, estaba sumamente pálida y los ojos le brillaban ferozmente a la luz de las antorchas. Sujetaba un revólver con mano temblorosa y, mientras avanzaba con pasos inseguros, lo disparó contra Rupert Hentzau. La bala no dio en el blanco y fue a incrustrse en la madera, encima de mi cabeza.

—¡En verdad, señora —rió Rupert—, si sus ojos no fueran más mortíferos que su puntería, yo no estaría ahora en este enredo... ni Michael en el infierno!

Ella hizo caso omiso de sus palabras. Con un esfuerzo prodigioso, logró calmarse hasta quedar inmóvil y rígida. Entonces, muy lentamente, empezó a levantar de nuevo el brazo, apuntando con más cuidado.

Habría sido una locura que Rupert corriera ese riesgo. Tenía que abalanzarse sobre ella, exponiéndose a la bala, o retroceder hacia mí. Le apunté con mi revólver.

No hizo ninguna de las dos cosas. Antes de que Antoinette de Mauban se decidiera a disparar, se inclinó profundamente, gritó: «No puedo matar a la que he besado», y antes de que ella o yo pudiéramos impedirlo, apoyó la mano en el parapeto del puente, y saltó ágilmente al foso.

En ese preciso momento oí ruido de pisadas, y una voz conocida —la de Sapt— gritó: «Dios mío! ¡Es el duque... muerto!» Entonces supe que el rey ya no me necesitaba y, tirando el revólver salí al puente. Hubo una exclamación de asombro, «¡El rey!» y entonces, como Rupert Hentzau, espada en mano, salté por encima del parapeto, dispuesto a ajustarle las cuentas tan pronto como le diera alcance.

Pronto vi su rizada cabeza a quince metros de distancia. Nadaba rápida y acompasadamente. Yo estaba cansado y apenas podía servirme de mi brazo herido. Jamás lograría alcanzarlo. Durante un rato no hice ningún ruido, pero cuando doblamos la esquina del viejo torreón grite:

—¡Alto, Rupert, alto!

Lo vi mirar por encima del hombro, pero siguió nadando. Ya estaba junto a la orilla, buscando seguramente, un lugar por donde pudiera trepar. Yo sabía que no había ninguno; pero estaba mi cuerda, que aún colgaría donde la había dejado. Llegaría a donde se encontraba antes que yo. Quizá pasara de largo, quizá la viera. Y si la izaba tras de sí, me tomaría una buena delantera. Reuní toda la energía que me quedaba y nadé lo más rápido que pude. Al fin empecé a ganarle terreno, porque él, ocupado con la búsqueda, redujo inconscientemente la marcha.

¡Ah, la había encontrado! Lanzó una exclamación de triunfo. La agarró y empezó a subir. Yo estaba suficientemente cerca para oírle murmurar: «¿Cómo diablos ha venido a parar aquí?» Llegué junto a la cuerda y él, suspendido en el aire, me vió, pero no pude alcanzarlo.

—¡Vaya, vaya! ¿Quién es? —exclamó con asombro.

Creo que por un momento me confundió con el rey, me atrevo a decir que estaba suficientemente pálido para inducir a pensarlo, pero al cabo de un instante exclamó:

—1Si es el farsante! ¿Cómo ha venido hasta aqui?

Y, diciendo estas palabras, llegó arriba.

Yo así la cuerda, pero permanecí inmóvil. El estaba junto al borde del foso, espada en mano, y podria abrirme la cabeza o atravesarme el corazón cuando subiera. Solté la cuerda.

—Eso no importa —dije—, pero como ya estoy aquí, creo que me quedaré.

Rupert sonrió.

—Estas mujeres son el diablo en perso... —empezó. En aquel momento la gran campana del castillo comenzó a sonar furiosamente, y un fuerte grito llegó hasta nosotros desde el foso.

Rupert volvió a sonreír y agitó la mano.

—¡Me gustaría batirme con usted, pero no hay tiempo! —dijo, y desapareció de mi vista.

Al momento, sin pensar en el peligro, alargué la mano hacia la cuerda. Llegué arriba. Lo vi a treinta metros de distancia, corriendo como un gamo hacia el bosque. Por una vez Rupert Hentzau había optado por la prudencia. Puse los pies en el suelo y eché a correr tras él, gritándole que se detuviera. No lo hizo. Ileso y vigoroso, me ganaba terreno a cada paso. Pero, olvidándome absolutamente de todo excepto de él y de mi sed de venganza, seguí corriendo, y las intensas sombras del bosque no tardaron en envolvernos a ambos, perseguido y perseguidor.

Ya eran las tres, y empezaba a amanecer. Me encontraba en un largo y recto camino cubierto de hierba, y unos cien metros delante de mí corría el joven Rupert, con los rizos ondeando al viento. Yo estaba cansado y jadeante; el miró hacia atrás y volvió a agitar la mano. Se estaba burlando de mí, pues veía que no podía alcanzarlo. Tenía que detenerme a respirar. Al cabo de un momento, Rupert giró brúscamente hacia la derecha y lo perdí de vista.

Pensé que todo había terminado y me dejé caer al suelo con profundo desaliento. Pero volví a levantarme en seguida, pues un grito resonó en el bosque, un grito de mujer. Haciendo acopio de energías, seguí corriendo hasta el lugar donde había desaparecido de mi vista y, girando a mi vez, lo vi de nuevo. Pero, ¡ay de mí! No podía alcanzarlo. En aquel momento estaba bajando a una muchacha de su caballo; sin duda era ella la que había gritado. Debía de ser la hija de algún granjero o campesino, y llevaba una cesta en el brazo. Probablemente se dirigía al mercado de Zenda. Su caballo era un animal robusto. Rupert la depositó en el suelo pese a sus gritos, parecía muy asustada. La trató amablemente, se rió, la besó y le dio dinero. Luego saltó sobre el caballo, se sentó de lado, como una mujer y después me espero. Yo por mi parte, lo esperé a él.

Entonces avanzó hacia mí, guardando las distancias, sin embargo. Levantó la mano diciendo:

—¿Qué hacía usted en el castillo?

—Matar a tres de sus amigos —contesté

—¡Qué! ¿Ha llegado hasta las celdas?

—Sí.

—¿Y el rey?

—Detchard lo ha herido antes de que yo lo matara, pero confío en que viva.

—¡Está loco! —dijo Rupert con afabilidad.

—También he hecho otra cosa.

—¿Qué?

—Le he salvado la vida. Estaba detrás de usted en el puente, con un revólver en la mano.

—¡No! Así pues, me encontraba entre dos fuegos.

—Desmonte —exclamé—, y luche como un hombre.

—¡Delante de una dama! —dijo él, señalando a la muchacha— ¡Qué vergüenza, majestad!

Impulsado por la rabia, sin apenas saber lo que hacía, arremetí contra él. Por un momento pareció titubear. Después obligó al caballo a detenerse y me espero. Yo seguí adelante. Agarré la brida y le ataqué. El paró el golpe y me embistió con la espada. Retrocedí un paso y volví a arremeter contra él, esta vez le dí en la cara y le abrí la mejilla; salté hacia atrás antes de que pudiera alcanzarme. Parecía casi aturdido por la ferocidad de mi ataque, de lo contrario creo que me habría matado. Caí sobre una rodilla, jadeando, esperando que galopara hacia mí. Y lo habría hecho, y estoy seguro de que en aquel momento y aquel lugar, uno de los dos habría muerto, pero entonces se oyó un grito detrás de nosotros y, volviéndome, vi a un hombre a caballo en el recodo del camino. Iba a galope tendido, y llevaba un revólver en la mano. Era Fritz von Tarlenheim, mi fiel amigo. Rupert lo vio, y comprendió que la partida había terminado. Tiró de las riendas y pasó la pierna por encima de la silla, pero, aun así, esperó un momento más. Inclinándose hacia delante, se retiró el cabello de la frente, y dijo:

—¡*Au revoir*, Rudolf Rassendyll!

Después, con la mejilla chorreando sangre, pero riendo y balanceándose con naturalidad y donaire, se inclinó ante mí, y se inclinó ante la campesina, que se había aproximado con trémula fascinación, agitó la mano en dirección a Fritz que ya estaba bastante cerca y disparó contra él. La bala casi alcanzó su objetivo, pues dio en la espada que tenía en la mano, Rupert la soltó con un juramento, retorciendo los dedos, clavó los talones en el vientre del caballo y se alejó al galope.

Yo lo seguí con la mirada a lo largo de la avenida, viéndole cabalgar como si lo hiciera por placer y oyéndolo cantar, pese a aquella herida en la mejilla.

Se volvió una vez más para agitar la mano; entonces la oscuridad de los bosquecillos lo engulló y desapareció de nuestra vista. Así se desvaneció temerario y cauteloso, elegante y desgarbado, apuesto, vil e invicto. Yo tiré apasionadamente la espada al suelo y le grite a Fritz que fuese tras él. Pero Fritz detuvo su caballo, desmontó de un salto y corrió hacia mí, se arrodilló, me rodeó con un brazo. Llegó en el momento preciso, pues la herida que Detchard me había causado volvía a estar abierta y la sangre formaba un charco a mis pies.

—¡Pues deme el caballo! —grité, levantándome a duras penas y desasiéndome de él. La fuerza de mi rabia me llevó hasta donde estaba el caballo, y entonces caí de bruces junto a él. Fritz volvió a arrodillarse a mi lado.

—¡Fritz —dije

—Sí, amigo mío... ¡querido amigo mío! —respondió él, cariñoso como una mujer.

—¿Está vivo el rey?

Sacó su pañuelo, me enjugó los labios, se inclinó y me dio un beso en la frente.

—Gracias al más valiente caballero que ha existido jamás —dijo en un susurro—, el rey está vivo.

La joven campesina estaba junto a nosotros, asustada y atónita; me había visto en Zenda, y, aunque pálido, empapado, sucio y ensangrentado, ¿no seguía siendo el rey?

Cuando oí que el rey estaba vivo, quise gritar «¡Hurra!», pero no pude hablar. Apoyé la cabeza en los brazos de Fritz, cerré los ojos y gemí; entonces por miedo a que Fritz interpretara mal mis pensamientos, abrí los ojos y volví a intentar decir «¡Hurra!», pero no pude. Sintiendo un gran cansancio y mucho frío, me acurruqué junto a Fritz para que me transmitiera su calor, volví a cerrar los ojos y me quedé dormido.

# 20. EL PRISIONERO Y EL REY

Para aclarar totalmene lo que sucedió en el castillo de Zenda, es necesario complementar mi relato sobre lo que yo mismo vi e hice aquella noche explicando lo que después supe por Fritz y madame de Mauban. Esta última me contó por qué el grito que yo había elegido como una estratagema y una farsa, se produjo, a raíz de una espantosa realidad, antes de tiempo, dando al traste de este modo, aparentemente, con todas nuestras esperanzas, mientras que a la larga las había favorecido. La infeliz mujer, impulsada, creo yo, por un genuino afecto hacia el duque de Strelsau, al mismo tiempo que por las deslumbrantes perspectivas que un dominio sobre él desplegaba ante sus ojos, lo había seguido a petición suya desde París a Ruritania. Era un hombre de grandes pasiones, pero aún mayor voluntad; sin embargo, su extraordinara sangre fría dominaba ambas cosas. Se contentaba con tomarlo todo y no dar nada. Cuando ella llegó, no tardó en descubrir que tenía una rival en la princesa Flavia; desesperada, no se detuvo ante nada que pudiera darle o reservarle su poder sobre el duque. Como digo, él tomaba y no daba. Simultáneamente, Antoinette se encontró enredada en sus audaces planes. Reacia a abandonarlo, atada a él por las cadenas de la vergüenza y la esperanza, se negó, sin embargo, a convertirse en un señuelo, así como a tenderme una trampa mortal. De ahí las cartas de advertencia que había escrito. Ignoro si las líneas que envió a Flavia estuvieron inspiradas por buenos o malos sentimientos, por celos o por piedad, pero también así nos había servido. Cuando el duque se trasladó a Zenda, ella lo acompañó; allí fue donde se dio cuenta por primera vez del grado de su crueldad, y sintió una gran compasión por el desafortunado rey. A partir de ese momento estuvo con nosotros, aunque por lo que me dijo, sé que (como mujer que era) aún amaba a Michael, y confiaba en lograr que el rey le perdonara la vida, si no sus fechorías, como recompensa a sus cuidados. No deseaba su triunfo, pues aborrecía el crimen, y aborrecía aún más lo que debería ser su premio: el matrimonio con su prima, la princesa Flavia.

En Zenda, nuevas fuerzas entraron en juego: la lujuria y la osadía del joven Rupert. Quizá se sintiera cautivado por su belleza; quizá le bastara que perteneciera a otro hombre, y que ella lo odiara. Durante muchos días había habido peleas y aborrecimiento entre él y el duque, y la escena que yo había presenciado en la habitación del duque no fue más que una de tantas. La proposiciones que Rupert me había hecho y ella, naturalmente, ignoraba, no le sorprendieron en absoluto cuando se las revelé; ella misma había prevenido a Michael contra Rupert, incluso cuando apelaba a mí para librarla de ambos. Así pues, esa noche Rupert había decidido hacer su voluntad. Cuando ella se retiró a su habitación, él, habiéndose agenciado una llave de la puerta, hizo su entrada. Sus gritos habían atraído al duque y, con la habitación a oscuras, mientras ella gritaba, los hombres se habían batido. Rupert, tras herir mortalmente a su señor, había escapado por la ventana tal como he descrito, al ver que llegaban refuerzos. La sangre del duque, que manaba en abundancia, había manchado la camisa de su oponente, pero Rupert, ignorante de que había dado muerte a Michael, estaba ansioso por zanjar la cuestión. No sé cómo pretendía librarse de los otros tres miembros de la banda. Me atrevó a decir que no lo pensó, pues el asesinato de Michael no fue premeditado. Antoinette, al quedarse sola con el duque, había intentado taponarle la herida, y en eso estuvo ocupada hasta que murió; después, al oír los gritos de Rupert, había salido para vengarlo. A mí no me había visto, y no lo hizo desde que abandoné mi escondite y salté al foso en persecución de Rupert.

En aquel preciso momento aparecieron mis amigos en escena. Habían llegado al castillo a la hora acordada y esperaron junto a la puerta. Pero Johann, que había ido con los demás en ayuda del duque, no la abrió; por el contrario, se enfrentó a Rupert, arriesgando su vida más que cualquier otro con el fin de no levantar sospechas, y fue herido junto a la ventana. Sapt esperó hasta casi las dos y media; después, siguiendo mis órdenes, envió a Fritz en mi busca. No me encontró. Fritz regresó a toda prisa y se lo dijo a Sapt. Sapt se mostró partidario de atenerse todavía a mis órdenes y volver rápidamente a Tarlenheim, mientras que Fritz rehusó abandonarme a pesar de lo que yo hubiese podido ordenar. Discutieron por espacio de unos momentos; despues, Sapt, persuadido por Fritz, designó a un grupo mandado por Bernenstein para que fuese a Tarlenheim y trajera al mariscal, mientras que el resto intentaba forzar la gran puerta del castillo. Se les resistió durante varios minutos; después, cuando Antoinette de Mauban disparaba contra Rupert Jentzau en el puente, irrumpieron en el vestíbulo. Eran ocho en total. La primera puerta que encontraron fue la puerta de la habitación de Michael; y Michael yacía muerto en el umbral, con una herida de espada en el pecho. Sapt lanzó una exclamación de asombro, que yo oí, y se dispusieron a reducir a los sirvientes. Pero éstos, atemorizados, soltaron las armas, y Antoinette se arrojó llorando a los pies de Sapt. Lo único que dijo fue que yo había estado en el extremo del puente y después había saltado al foso. «¿Y el prisionero?», preguntó Sapt, pero ella meneó la cabeza. Entonces Sapt y Fritz, seguidos por los demás caballeros, cruzaron el puente, lentamente, con cautela y sin ruido; y Fritz tropezó con el cuerpo de De Gautet antes de llegar a la puerta. Lo examinaron y vieron que estaba muerto.

Entonces conferenciaron, escuchando ansiosamente por si oían algún sonido procedente de las celdas; pero no oyeron nada, y temieron que los guardianes del rey lo hubiesen matado y, tras empujar su cuerpo por el tubo, se hubiesen escapado del mismo modo. Sin embargo, como me habían visto allí, no perdieron la esperanza (es lo que el amigo Fritz, me dijo), volvieron sobre sus pasos para registrar el cuerpo de Michael, apartaron a Antoinette, que rezaba junto a él, encontraron una llave de la puerta que yo había cerrado, y la abrieron. La escalera se hallaba sumida en la oscuridad, y no se atrevieron a encender ninguna antorcha, por miedo a convertirse en un blanco fácil. Pero de repente Fritz exclamó: «¡Ahí abajo hay una puerta abierta! ¡Miren, hay luz!» Bajaron rápidamente, y no encontraron a nadie que les hiciera frente.

Cuando llegaron a la habitación exterior y vieron al belga Bersonin muerto en el suelo, dieron gracias a Dios y Sapt dijo: «Sí, ha estado aquí.» Después, irrumpiendo en la celda del rey, encontraron el cadáver de Detchard encima del médico muerto, y al rey tendido en el suelo cerca de su silla. Fritz exclamó: «¡Está muerto!» Sapt hizo salir de la celda a todos los caballeros excepto a Fritz y se arrodilló junto al rey; como era mucho más experimentado que yo en lo referente a heridas y al aspecto de la muerte, pronto supo que el rey no estaba muerto y que, debidamente atendido, no moriría. Le taparon la cara, lo llevaron a la habitación del duque Michael, y lo acostaron allí; Antoinette dejó de rezar junto al cuerpo del duque y se encargó de lavar la cabeza del rey y de curar sus heridas, hasta que llegó un médico. Sapt, viendo que yo había estado allí, y habiendo oído la historia de Antoinette, envió a Fritz a registrar el foso y después el bosque. No se atrevió a enviar a nadie más. Fritz encontró mi caballo y temió lo peor. Después, como ya he explicado, me encontró a mí, guiado por el grito con el que había instado a Rupert a detenerse y hacerme frente. Fritz se alegró tanto de verme con vida como si se tratara de su propio hermano, de modo que, debido al cariño que me profesaba, no pensó en algo tan grande como habría sido la muerte de Rupert Hentzau. Sin embargo, si Fritz lo hubiera matado yo no habría podido perdonárselo.

Habiendo llevado a feliz término la peligrosa empresa de rescatar al rey, Sapt tomó las medidas necesarias para que nadie se enterase de ello. Antoinette de Mauban y Johann, el guardabosque (que, en realidad, estaba demasiado malherido para irse de la lengua en aquellos momentos), fueron obligados a jurar que no revelarían nada, y Fritz se marchó a buscar, no al rey, sino al supuesto amigo del rey, que había estado recluído en Zenda y había aparecido un instante ante los desorbitados ojos de los sirvientes del duque Michael en el puente levadizo. La metamorfosis se había producido, y el rey, casi herido de muerte por los ataques de los carceleros que custodiaban a su amigo, al fin había logrado vencerlos, y ahora descansaba, herido pero vivo, en la propia habitación del duque Michael. Había sido llevado hasta allí con la cara tapada por una capa, desde la celda. Se dio la orden de que, en caso de encontrar a su amigo, lo condujeran inmediatamente a presencia del rey, y que mientras tanto partiera un mensajero hacia Tarlenheim, para decir al mariscal Strakencz que tranquilizara a la princesa sobre la suerte del rey y que él mismo acudiera a toda prisa para entrevistarse con éste. Se ordenaba a la princesa que permaneciera en Tarlenheim y esperara allí la llegada de su primo o sus nuevas instrucciones. De este modo el rey volvería a ganar la admiración de su pueblo, por haber realizado grandes hazañas y escapado, casi de milagro, del pérfido ataque de su desalmado hermano.

Las ingeniosas medidas del astuto Sapt tuvieron éxito en todos los aspectos, salvo cuando tropezaron con una fuerza que a menudo deshace los planes más sagaces. Me refiero nada menos que a la voluntad de una mujer. Porque, pese a la orden cursada por su primo y soberano (o la que el coronel Sapt cursó en su lugar), y pese a la insistencia del mariscal Strakencz, la princesa Flavia se negó en redondo a permanecer en Tarlenheim mientras su enamorado estaba herido en Zenda. Cuando el mariscal, con una pequeña comitiva, partió de Tarlenheim con destino a Zenda, el carruaje de la princesa iba detrás, y en ese orden atravesaron la ciudad, donde ya se sabía que el rey, habiendo ido la noche anterior a amonestar a su hermano, con toda cordialidad, por tener prisionero en el castillo a uno de sus amigos, había sido atacado a traición; que había habido una encarnizada lucha; que el duque había hallado la muerte con varios de sus caballeros; y que el rey, aunque herido, había tomado y ocupado el castillo de Zenda. Todo lo cual provocó, como es de suponer, una gran agitación. El telégrafo se puso en funcionamiento, y las nuevas llegaron a Strelsau poco después de recibirse la orden de que las tropas salieran a la calle e intimidaran a los barrios insatisfechos de la ciudad con un despliegue de fuerza.

De este modo llegó la princesa a Zenda. Mientras subía la colina, con el mariscal cabalgando junto a la rueda e implorándole todavía que regresara, en obediencia a las órdenes del rey, Fritz von Tarlenheim, con el prisionero de Zenda, llegaba al lindero del bosque. Me había recobrado de mi desvanecimiento, y andaba apoyado en el brazo de Fritz. Cuando levanté los ojos, vi a la princesa. Una rápida mirada al rostro de mi compañero me hizo comprender que no debíamos encontrarnos con ella, y me dejé caer de rodillas detrás de un grupo de matorrales. Pero había alguien a quien habíamos olvidado, pero que nos seguía, y no estaba dispuesto a dejar escapar la oportunidad de ganar una sonrisa y quizá una o dos coronas. Mientras nosotros permanecíamos escondidos, la pequeña campesina nos dio alcance y echó a correr hacia la princesa gritando:

—¡Señora, el rey está aquí... entre los matorrales! ¿Deseáis que os guíe hasta él, señora?

—¡Tonterías, niña! —dijo el anciano Strakencz—; el rey está herido en el castillo.

—Sí señor,ya sé que está herido; pero está aquí, con el conde Fritz, y no en el castillo —insistió ella.

—¿Está en dos sitios a la vez, o hay dos reyes? —preguntó Flavia, sorprendida—. Y ¿cómo va a estar aquí?

—Perseguía a un caballero, señora y han luchado hasta la llegada del conde Fritz. El otro caballero me ha quitado el caballo de mi padre y se ha escapado; pero el rey está aquí, con el conde Fritz. ¿Acaso, señora, hay otro hombre en Ruritania que sea como el rey?

—No, pequeña —dijo Flavia con ternura (me lo contaron después), sonrió y le dio algo de dinero a la muchacha—. Iré a ver a ese caballero —y se levantó para apearse del carruaje.

Pero en este moento Sapt bajaba cabalgando del castillo y, al ver a la princesa, sacó el máximo partido de una situación difícil: le gritó que el rey estaba bien atendido y no corría peligro.

—¿En el castillo? —preguntó ella.

—¿En qué otro sitio iba a estar, señora? —dijo, inclinándose.

—Pero esta muchacha asegura que está allí... con el conde Fritz.

Sapt volvió los ojos hacia la joven con una sonrisa incrédula.

—Cualquier caballero apuesto es un rey para una muchacha romántica —dijo.

—¡Pues el rey y él se parecen como dos gotas de agua, señora! —exclamó la muchacha, un poco intimidada pero con obstinación.

Sapt se volvió de espaldas a ella. La cara del viejo mariscal reflejaba una muda interrogación. La mirada de Flavia no era menos elocuente. La duda cunde de prisa.

—Iré a ver a ese hombre yo mismo —se apresuró a decir Sapt.

—No, iré yo —replicó la princesa.

—En ese caso, venid sola —susurró él.

Ella, obediente al aviso que leyó en su cara, rogó al mariscal y al resto que esperasen. Los dos se dirigieron a pie hacia donde estábamos. Sapt indicó por señas a la campesina que se mantuviera a distancia. Yo me senté con desesperación en el suelo, y enterré la cara entre las manos. No podía mirarla. Fritz se arrodilló a mi lado, y apoyó la mano en mi hombro.

—Hablad en voz baja, digáis lo que digáis—oí susurrar a Sapt cuando se acercaron.

Y lo siguiente que oí fue la exclamación ahogada, en parte de alegría, en parte de temor, que emitió la princesa:

—¡Es él! ¿Estás herido?

Se dejó caer al suelo junto a mí, y me apartó suavemente las manos de la cara, pero yo mantuve los ojos fijos en el suelo.

—¡Es el rey! —dijo—. Por favor, coronel Sapt, dígame dónde está la gracia de la broma que me ha gastado.

Ninguno de nosotros contestó; los tres guardamos silencio ante ella. Indiferente a los demás, Flavia me echó los brazos al cuello y me besó. Entonces Sapt habló en un ronco susurro:

—No es el rey. No le beséis; no es el rey.

Ella se apartó un momento; después, todavía con un brazo en torno a mi cuello, preguntó, con suprema indignación:

—¿Cree que no conozco a mi amor? ¡Rudolf, amor mío!

—No es el rey —repitió el viejo Sapt; y un súbito sollozo salió de la garganta del impresionable Fritz.

Fue este sollozo lo que le reveló que no se trataba de una comedia.

—¡Es el rey! —exclamó—. ¡Es la cara del rey... el anillo del rey... mi anillo! ¡Es mi amor!

—Vuestro amor, señora —dijo el viejo Sapt—, pero no el rey. El rey está en el castillo. Este caballero...

—¡Mírame, Rudolf! ¡Mírame! —exclamó ella, cogiéndome la cara entre sus manos—. ¿Por qué permites que me atormenten? ¡Dime lo que significa esto!

Entonces hablé, mirándola a los ojos.

—¡Qué Dios me perdone, señora! —dije—. ¡Yo no soy el rey!

Noté que sus manos me agarraban con fuerza las mejillas. Me observó con tal intensidad como ningún hombre ha sido escrutado todavía, y yo, incapaz, de decir una sola palabra, vi nacer el asombro, y crecer la duda, y surgir el terror en su mirada. De repente se tambaleó y cayó en mis brazos. Con una desgarradora exclamación de dolor la atraje hacia mí y la besé en los labios. Sapt apoyó una mano en mi brazo. Yo levanté los ojos hacia él, la dejé suavemente en el suelo, me levanté, mirándola y maldiciendo al cielo por no haber permitido que la espada del joven Rupert me ahorrara aquel insoportable dolor.

# 21. ¡SI EL AMOR LO FUESE TODO!

Era de noche y yo estaba en la celda que había ocupado el rey en el castillo de Zenda. El gran tubo que Rupert Hentzau había bautizado como «la escala de Jacob» había sido retirado, y las luces de la habitación situada al otro lado del foso titilaban en la oscuridad. Todo estaba en calma; el fragor de la contienda había cesado. Yo había pasado el día escondido en el bosque, desde el momento en que Fritz se me llevó, dejando a Sapt con la princesa. Al caer la tarde, con grandes precauciones, me habían traído al castillo y alojado donde ahora me hallaba. Aunque tres hombres hubieran muerto en esta habitación, dos de ellos a manos mías, los fantasmas no me obsesionaban. Me había echado en un camastro que había junto a la ventana, y contemplaba las negras aguas. Johann, el guardabosques, aún pálido a resultas de su herida, pero ya recuperado, me había traído la cena. Me dijo que el rey se encontraba mejor y que había visto a la princesa; que ella y él, Sapt y Fritz habían estado mucho rato juntos. El mariscal Strakencz había partido hacia Strelsau; Michael el Negro yacía en su ataúd, y Antoinette de Mauban velaba junto a él; ¿no había oído a los sacerdotes que, desde la capilla, cantaban misa por él?

Fuera circulaban extraños rumores. Algunos decían que el prisionero de Zenda estaba muerto; otros, que se había desvanecido pero estaba vivo; otros, que era un amigo que había servido bien al rey en una aventura ocurrida en Inglaterra; otros, que había descubierto las intrigas del duque, y éste lo había secuestrado. Uno o dos individuos más astutos negaban con la cabeza y sólo decían que no dirían nada, aunque sospechaban que se sabría mucho más de lo que se sabía, si el coronel Sapt dijera todo lo que sabía.

Todo esto me contó Johann hasta que lo despedí y me quedé solo, pensando, no en el futuro, sino, como suele hacer un hombre cuando le han sucedido cosas extraordinarias, recordando los sucesos de las pasadas semanas, y maravillándome del extraño desenlace que habían tenido. Y por encima de mí, en el silencio de la noche, oí aletear los estandartes contra sus mástiles, pues el pendón de Michael el Negro colgaba allí a media asta y, encima de él, la bandera real de Ruritania, ondeaba una noche más sobre mi cabeza. Es tan fácil acostumbrarse a las cosas, que sólo con un esfuerzo recordé que ya no ondeaba por mí.

En aquel momento Fritz von Tarlenheim entró en la habitación. Yo estaba de pie junto a la ventana; se hallaba abierta, y me entretenía desprendiendo el cemento adherido a la piedra en el lugar donde había estado «la escala de Jacob». Me comunicó escuetamente que el rey deseaba verme. Juntos cruzamos el puente levadizo y entramos en el dormitorio que había pertenecido a Michael el Negro.

El rey estaba en la cama; nuestro médico de Tarlenheim lo atendía, y me susurró que mi visita debería ser breve. El rey alargó la mano y estrechó la mía. Fritz y el médico se retiraron junto a la ventana.

—No puedo hablar demasiado con usted —dijo él, con voz débil—. He tenido una gran discusión con Sapt y el mariscal, porque le hemos explicado todo lo sucedido al mariscal. Yo quería llevarlo a Strelsau y retenerlo junto a mí, y decirle a todo el mundo lo que había hecho. Habría sido mi mejor y más íntimo amigo, primo Rudolf. Pero ellos opinan que no debo hacerlo, y que es necesario guardar el secreto, si ello es posible.

—Tienen razón, majestad. Dejadme marchar. Mi trabajo aquí ha concluido.

—Sí, ha concluido, y ningún otro hombre habría podido hacerlo. Cuando vuelvan a verme, llevaré barba, estaré demacrado por la enfermedad. No se extrañarán de que el rey esté desfigurado. Primo, intentaré que no lo encuentren cambiado en nada más. Me ha enseñado cómo debe comportarse un rey.

—Majestad —contesté—, no puedo aceptar vuestros elogios. Sólo gracias a la voluntad de Dios no he sido un traidor peor que vuestro hermano.

Me miró con ojos inquisitivos; pero un hombre enfermo huye de los enigmas, y no tuvo fuerzas para interrogarme. Su mirada se posó sobre el anillo de Flavia, que yo llevaba en el dedo. Pensé que me interrogaría acerca de ello; pero, después de tocarlo abstraídamente, dejó caer la cabeza sobre la almohada.

—No sé cuándo volveré a verle —dijo con voz débil, casi inaudible.

—Cuando pueda volver a serviros, majestad —contesté.

Sus párpados se cerraron. Fritz se acercó con el médico. Yo besé la mano del rey, y me dejé llevar por Fritz. No he vuelto a ver al rey desde entonces.

Una vez fuera, Fritz giró, no hacia la derecha, para regresar al puente levadizo, sino hacia la izquierda, y sin hablar me condujo escaleras arriba, por un pasillo.

—¿Adónde vamos? —pregunté.

Desviando la mirada, Fritz contestó:

—La princesa quiere verlo. Cuando haya acabado, vuelva al puente. Lo esperaré allí.

—¿Qué quiere? —dije yo, respirando agitadamente.

El meneó la cabeza.

—¿Lo sabe todo?

—Sí, todo.

Abrió una puerta y, empujándome suavemente hacia el interior, la cerró detrás de mí. Me encontré en un gabinete pequeño y lujosamente amueblado. Al principio pensé que estaba solo, pues la luz que difundían un par de velas que había sobre la repisa de la chimenea era muy tenue. Luego distinguí la figura de una mujer junto a la ventana. Supe que era la princesa, y me dirigí hacia ella. Hinqué una rodilla y me llevé a los labios la mano que colgaba junto a su costado. Ella no se movió ni habló. Me levanté y, traspasando la penumbra con mis ojos ansiosos, vi su pálido rostro y el brillo de su cabello. Exclamé dulcemente:

—¡Flavia!

Ella se estremeció ligeramente, y volvió la cabeza. Entonces se lanzó hacia mí y me sujetó por ambos brazos.

—¡No, no te quedes de pie, no te quedes de pie! ¡No debes hacerlo! ¡Estás herido! ¡Siéntate... aquí, aquí!

Me hizo sentar en un sofá y me puso la mano en la frente.

—Te arde la frente —dijo, cayendo de rodillas a mi lado. Después apoyó la cabeza contra mí, y la oí murmurar—; ¡Amor mío, te arde la frente!

De alguna manera, el amor da incluso a un hombre torpe el conocimiento del corazón de su amada. Yo había ido dispuesto a humillarme y pedir perdón por mi atrevimiento, pero lo que dije fue:

—¡Te amo con todo mi corazón y toda mi alma!

¿Cuál era la causa de su inquietud y vergüenza? No su amor por mí, sino el temor de que yo hubiese hecho el papel del enamorado igual que había fingido ser el rey, y tomando sus besos con una sonrisa encubierta.

—Con toda mi vida y todo mi corazón —dije, mientras ella se abrazaba a mí—. ¡Siempre, desde el primer momento que te vi en la catedral! Para mí sólo ha habido una mujer en el mundo, y no habrá ninguna otra. ¡Pero que Dios me perdone por todo el mal que te he hecho!

—¡Te obligaron a hacerlo! —contestó rápidamente ella; y añadió, levantando la cabeza y mirándome a los ojos—: Además el hecho de saberlo no habría cambiado nada. ¡Siempre fuiste tú, no el rey!

—Quise decírtelo —confesé—. Iba a hacerlo la noche del baile en Strelsau, cuando Sapt me interrumpió. Después no pude... no pude arriesgarme a perderte antes de que... antes de que... no hubiera más remedio. ¡Amor mío, por ti casi dejé morir al rey!

—¡Lo sé, lo sé! ¿Qué vamos a hacer ahora, Rudolf?

La rodeé con un brazo y la atraje hacia mí mientras decía:

—Me voy esta noche.

—¡Ah, no, no! —exclamó—. ¡Esta noche, no!

—Tengo que irme esta noche, antes de que me vea alguien más. Y, ¿cómo podría quedarme, cariño, a no ser que...?

—¡Si pudiera ir contigo! —murmuró con voz anhelante.

—¡Dios mío! —exclamé con brusquedad—. ¡No digas eso! —Y la aparté ligeramente de mí.

—¿Por qué no? Te amo. ¡Eres un caballero tan noble como el mismo rey!

Entonces me olvidé de todo lo que hubiera debido recordar. Porque la tomé en mis brazos y le supliqué, con palabras que no escribiré, que viniera conmigo, desafiando a toda Ruritania a que me la arrebatase. Y ella me escuchó durante un rato, con ojos sorprendidos y deslumbrados. Pero al ver sus ojos fijos en mí, me sentí avergonzado, y mi voz fue quebrándose en balbuceos y murmullos entrecortados, y al fin enmudecí.

Ella se apartó de mí y fue a apoyarse contra la pared, mientras yo permanecía sentado en el borde del sofá, temblando de pies a cabeza, consciente de lo que había hecho, odiándome por ello, pero resuelto a no deshacerlo. Así estuvimos durante largo tiempo.

—¡Estoy loco! —dije con tristeza.

—Adoro tu locura, querido —contestó ella.

Tenía la cara vuelta hacia el otro lado, pero sorprendí el destello de una lágrima en su mejilla. Me agarré al sofá con fuerza y conseguí no moverme de allí.

—¿Es el amor lo único que cuenta? —preguntó, con una voz dulce y serena que pareció traer la calma incluso a mi atormentado corazón—. Si el amor fuese lo único que contara, yo te seguiría, cubierta de andrajos, en caso necesario, hasta el fin del mundo, ¡porque mi corazón te pertenece por entero! Pero, ¿es el amor lo único que cuenta?

No contesté. Ahora me avergüenza pensar que no quise ayudarla. Se acercó a mí y me puso una mano en el hombro. Yo levanté la mía y se la cogí.

—Hay personas que escriben y hablan como si lo fuera. Quizá sea así, para algunos. El destino lo hace posible. ¡Ah, si yo fuese una de ellas! Pero si el amor hubiera sido lo único importante, tú habrías dejado morir al rey en su celda.

Le besé la mano.

—El honor también compromete a una mujer, Rudolf. Mi honor me obliga a ser digna de mi patria y de mi casa. No sé por qué Dios ha permitido que te ame; pero sé que debo quedarme.

Yo seguí callado, y ella, tras una pausa, continuó:

—Tu anillo siempre estará en mi dedo, tu corazón en mi corazón, el contacto de tus labios sobre los míos. Pero tú debes irte y yo debo quedarme. Quizá deba hacer algo que me aterra sólo de pensarlo.

Comprendí a qué se refería, y me estremecí. Pero no podía desmoronarme por completo ante ella. Me levanté y la tomé de la mano.

—Haz lo que quieras, o lo que debas —dije—. Creo que Dios revela sus designios a personas como tú. Mi parte es más llevadera; porque tu anillo siempre estará en mi dedo y tu corazón en el mío, y ningún contacto más que el de tus labios estará jamás sobre los míos. Así pues, que Dios te ayude, amor mío.

Entonces llegó a nuestros oídos el sonido de unos cánticos. Los sacerdotes cantaban misa por el alma de aquellos que habían muerto. Parecían entonar un réquiem por nuestra felicidad sepultada, pedir indulgencia para un amor que jamás moriría. Los dulces compases de aquella música triste se elevaron hacia el cielo, mientras nosotros permanecíamos uno frente al otro, con las manos unidas.

—¡Mi reina y mi cielo! —dije yo.

—¡Mi amor y mi fiel caballero! —dijo ella—. Quizá nunca volvamos a vernos. ¡Bésame, querido, y vete!

La besé tal como me había pedido; pero entonces se agarró a mí, susurrando mi nombre una y otra vez, una y otra vez; finalmente la dejé.

Bajé rápidamente al puente. Sapt y Fritz me esperaban allí. Siguiendo sus instrucciones, me cambié de ropa y, embozándome en una capa, como ya había hecho en más de una ocasión, monté con ellos a la entrada del castillo. Cabalgamos hasta el amanecer, y nos detuvimos en una pequeña estación de ferrocarril próxima a la frontera de Ruritania. El tren aún no había llegado, y los tres dimos un paseo por una pradera cercana a un riachuelo mientras esperábamos. Prometieron informarme de todo lo que sucediera y me colmaron de atenciones. Incluso el viejo Sapt parecía emocionado, mientras Fritz no podía ocultar su pena. Yo escuché todo lo que dijeron como en un sueño. «¡Rudolf! ¡Rudolf¡ ¡Rudolf!» aún sonaba en mis oídos, con su carga de tristeza y de amor. Al fin vieron que no los necesitaba, y paseamos en silencio, hasta que Fritz me tocó el brazo y vi, a dos o tres kilómetros de distancia, el humo azulado del tren. Entonces les alargué una mano a cada uno.

—Esta mañana sólo somos medio hombres —dije sonriendo—. Pero hemos sido hombres, ¿eh, Sapt y Fritz, viejos amigos? Hemos hecho grandes cosas entre los tres.

—Hemos vencido a los traidores y asentado firmemente al rey en su trono —dijo Sapt.

Entonces Fritz von Tarlenheim, antes de que yo pudiera adivinar sus intenciones o detenerlo, se descubrió la cabeza, se inclinó como solía hacer, y me besó la mano. Mientras yo la retiraba bruscamente, él dijo, intentando reírse:

—¡El cielo no siempre hace reyes a los hombres indicados!

El viejo Sapt apretó los labios mientras me estrechaba la mano.

—El diablo mete la nariz en casi todas las cosas —dijo.

La gente congregada en la estación miró curiosamente al hombre alto con la cara embozada, pero no hicimos caso de sus miradas. Flanqueado por mis dos amigos, esperé hasta que el tren se detuvo frente a nosotros. Entonces volvimos a estrecharnos la mano, sin decir nada. Esta vez ambos y, verdaderamente, fue algo extraño por parte del viejo Sapt, se descubrieron la cabeza y permanecieron inmóviles hasta que el tren desapareció de su vista. Así pues, todos debieron pensar que era un gran hombre el que partía esa mañana de la pequeña estación en un viaje de placer, mientras que, en realidad, sólo era yo, Rudolf Rassendyll, un caballero inglés, el menor de una buena casa, pero un hombre sin fortuna ni posición, ni demasiada importancia. Les habría decepcionado saberlo. Sin embargo, de haberlo sabido todos me habrían mirado aún con más curiosidad. Porque, fuese lo que fuese entonces, había sido rey durante tres meses, y eso, si no un motivo de orgullo, sí es una experiencia de la que pocos pueden alardear. Sin duda le habría dado más valor, si no hubiese resonado en el aire, desde las torres de Zenda que iban quedando atrás, hasta llegar a mis oídos y mi corazón, el grito de una mujer enamorada: «¡Rudolf! ¡Rudolf! ¡Rudolf!».

¡Silencio! ¡También ahora lo oigo!

# 22. PRESENTE, PASADO... Y ¿FUTURO?

Los detalles de mi regreso a casa no tienen demasiado interés. Fui directamente al Tirol, donde pasé dos semanas muy tranquilo, en su mayor parte acostado, pues contraje un grave enfriamiento y también fui víctima de una reacción nerviosa, que me dejó muy débil. En cuanto hube llegado a mi alojamiento, envié una postal aparentemente despreocupada a mi hermano comunicándole mi buena salud y anunciándole próximo regreso. Esto satisfaría las preguntas sobre mi paradero, que seguramente aún inquietaba al prefecto de policía de Strelsau. Volví a dejarme crecer el bigote y la perilla, y, como el vello me sale rápidamente en la cara, eran bastante respetables, aunque no exuberantes, cuando llegué a París y fui a ver a mi amigo George Featherly. Mi entrevista con él merece destacarse por las mentiras que me vi obligado a contarle. Me burlé despiadadamente de él cuando me confesó haber llegado al convencimiento de que había seguido a madame de Mauban hasta Strelsau. Al parecer, la dama en cuestión había regresado a París, pero vivía en una gran reclusión, hecho que era fácilmente comprensible. ¿No conocía todo el mundo la traición y muerte del duque Michael? No obstante, George instó a Bertram Bertrand a animarse, «porque», dijo con petulancia, «un poeta viejo es mejor que un duque muerto». Después se volvió hacia mí y preguntó:

—¿Qué le ha pasado a tu bigote?

—Si quieres saber la verdad —contesté, adoptando una actitud socarrona—, hay veces en que un hombre tiene motivos para querer modificar su aspecto. Pero me está volviendo a crecer.

—¿Qué? ¡Así pues, yo no andaba tan desencaminado! Aunque no fuese la bella Antoinette, ¿hubo una mujer?

—Siempre hay una mujer —sentencié yo.

Pero George no se dio por satisfecho hasta que me hubo arrancado (fue suficientemente ingenuo para enorgullecerse de ello) una aventura amorosa absolutamente imaginaria, aderezada con el debido *soupçon* de escándalo, que me había retenido todo este tiempo en la zona del Tirol. A cambio de este relato, George me deleitó con gran cantidad de lo que él llamaba «informaciones internas» (conocidas sólo por los diplomáticos), como el verdadero curso de los acontecimientos en Ruritania y las tretas y contratretas. En su opinión, me dijo, con un guiño muy significativo, había más que decir sobre Michael el Negro de lo que el público suponía, y aludió a la fundada sospecha de que el misterioso prisionero de Zenda, sobre el cual se había escrito mucho, no era un hombre, sino (aquí tuve que esforzarme para no sonreír) una mujer disfrazada de hombre, y que la rivalidad entre el rey y su hermano por el favor de esta dama imaginaria era la causa de su reyerta.

—Quizá fuese la propia madame de Mauban —sugerí.

—¡No! —dijo terminantemente George—. Antoinette de Mauban estaba celosa de ella, y traicionó al duque por esta razón. Y, para confirmar lo que digo, es bien sabido que ahora la princesa Flavia se muestra muy fría con el rey, después de ser sumamente cariñosa con él.

En este punto cambié de tema, y me libré de las «inspiradas» teorías de George. Pero si los diplomáticos nunca saben más de lo que habían conseguido averiguar en este caso, me parece que son un lujo excesivamente caro.

Durante mi estancia en París escribí a Antoinette, aunque no me atreví a hacerle una visita. Ella me contestó con una carta muy afectuosa en la que me aseguraba que la generosidad y bondad del rey, al igual que su consideración por mí, la obligaban a guardar un secreto absoluto. Expresaba su intención de establecerse en el país y retirarse completamente de la sociedad. No sé si llevó a cabo sus propósitos, pero como no la he vuelto a ver, ni he tenido noticias de ella hasta este momento, es probable que lo hiciera. No cabe duda de que estaba profundamente enamorada del duque de Strelsau, y su comportamiento cuando éste murió demostró que el hecho de conocer su verdadero carácter no fue suficiente para matar su amor.

Yo aún tenía una batalla por librar; una batalla que, sin duda alguna, sería muy ardua y posiblemente terminaría con mi completa derrota. ¿No regresaba del Tirol sin haber hecho ningún estudio de sus habitantes, instituciones, paisajes, fauna, flora u otras características? ¿No me había limitado a perder el tiempo con mi frivolidad de costumbre? Me vi obligado a admitir que éste sería el punto de vista de mi cuñada, y yo no tenía ninguna defensa que ofrecer contra un veredicto basado en dicha evidencia. Así pues, puede suponerse que me presenté en Park Lane con la debida timidez y mansedumbre. En conjunto, el recibimiento no fue tan alarmante como yo había temido. Resultó que había hecho, no lo que Rose deseaba, sino, algo casi igual de bueno, lo que ella había profetizado. Había declarado que no me molestaría en tomar ninguna nota, escribir ninguna observación o recoger ningún material. Por su parte, mi hermano había sido suficientemente débil para mantener que al fin me había animado un propósito serio.

Cuando regresé con las manos vacías, Rose estuvo tan ocupada proclamando su triunfo sobre Burlesdon que me dejó relativamente en paz, dedicando la mayor parte de sus reproches al hecho de que no hubiera notificado mi paradero a ninguno de mis amigos.

—Hemos perdido mucho tiempo intentando localizarte —dijo.

—Lo sé —repuse—. La mitad de nuestros embajadores ha llevado una vida agotadora por mi culpa. George Featherly me lo dijo. Pero, ¿por qué os preocupabais? Sé cuidar de mí mismo.

—Oh, no se trata de eso —contestó Rose con desdén—. Quería hablarte de sir Jacob Borrodaile. Ya le han dado la embajada; bueno, se incorporará dentro de un mes, y nos escribió para decirnos que esperaba que lo acompañaras.

—¿Adónde va?

—Sucederá a lord Topham en Strelsau —dijo ella—. No hay un lugar mejor, cerca de París.

—¡Strelsau! ¡Humm! —repliqué, mirando a mi hermano.

—¡Oh, eso no importa! —exclamó Rose con impaciencia—. Irás, ¿verdad?

—No sé si me interesa.

—¡Oh, eres exasperante!

—Y no creo que pueda ir a Strelsau. Mi querida Rose, ¿opinas que sería... adecuado?

—Oh, ya no hay quien recuerde esa horrible historia.

Al oír estas palabras, saqué del bolsillo un retrato del rey de Ruritania. Había sido hecho uno o dos meses antes de su ascensión al trono. No pudo dejar de entenderme cuando le dije, poniéndolo en sus manos:

—Por si nunca has visto el retrato de Rudolf V, aquí lo tienes. ¿No crees que podrían recordar la historia, si apareciese en la corte de Ruritania?

Mi cuñada miró el retrato, y después me miro a mí.

—¡Santo cielo! —exclamó, tirando la fotografía encima de la mesa.

—¿Qué dices tú, Bob? —pregunté.

Burlesdon se levantó, fue a una esquina de la habitación, y rebuscó en un montón de periódicos. Después volvió con un ejemplar del *Illustrated London News*. Abrió el periódico por una página doble dedicada a la coronación de Rudolf V en Strelsau. Puso la ilustración y el retrato uno al lado de la otra. Yo me senté a la mesa frente a ellos; y mientras los miraba, me ensimismé. Mis ojos fueron de mi propio retrato a Sapt, a Strakencz, a la soberbia indumentaria del cardenal, al rostro de Michael el Negro, a la majestuosa figura de la princesa. La miré durante largo rato. La mano de mi hermano sobre mi hombro me devolvió a la realidad. Me estaba observando con una expresión perpleja.

—Como veréis, es un parecido muy notable —dije—. Creo que no debo ir a Ruritania.

Rose, aunque medio convencida no quiso abandonar su posición.

—Sólo es una excusa —dijo con irritación—. No quieres hacer nada. ¡Y pensar que podrías llegar a ser embajador!

—No creo que quiera ser embajador —declaré yo.

—Es más de lo que serás nunca —replicó ella.

Posiblemente sea verdad, pero no es más de lo que he sido. La idea de ser embajador no podía deslumbrarme. ¡Había sido rey!

Entonces mi cuñada nos dejó airadamente, y Burlesdon, encendiendo un cigarrillo, me miró con curiosidad.

—Esa ilustración del periódico... —dijo.

—Sí, ¿qué le pasa? Demuestra que el rey de Ruritania y tu humilde servidor somos como dos gotas de agua.

Mi hermano meneó la cabeza.

—Supongo que sí —dijo—. Pero veo ciertas diferencias entre tú y el hombre de la fotografía.

—¿Y no las ves en la ilustración del periódico?

—Veo algunas diferencias entre la imagen del periódico y la fotografía; el hombre del periódico se parece mucho al de la fotografía, pero...

—¿Qué?

—¡Se parece más a ti! —dijo mi hermano.

Mi hermano es un hombre bueno y leal, por lo tanto, a pesar de ser un hombre casado y estar muy enamorado de su esposa, yo sabía que podía confiarle cualquier secreto. Pero este secreto no era mío, y no tenía derecho a contárselo.

—No creo que se parezca tanto a mí como el de la fotografía —repuse con ligereza—. Pero, de todos modos, Bob, no iré a Strelsau.

—No, no vayas a Strelsau, Rudolf —dijo él.

Ignoro si sospecha algo o intuye parte de la verdad. Si es así, guarda sus recelos para sí, y ninguno de los dos hablamos nunca de ello. Por supuesto, dejamos que sir Jacob Borrodaile buscara otro agregado.

Desde que ocurrieron todos estos sucesos cuya historia he relatado, he llevado una vida muy tranquila en una casita que he adquirido en el campo. Las ambiciones y metas de los hombres de mi posición me parecen insulsas y carentes de atractivo.

Soy poco aficionado a la vida social y nada a la vida política. Lady Burlesdon me desprecia abiertamente; mis vecinos me consideran un hombre indolente, soñador e insociable. Sin embargo, soy un hombre joven y a veces tengo la ilusión de que mi papel en la vida aún no ha terminado, de que, algún día y por alguna razón, volveré a mezclarme en grandes aventuras, volveré a urdir temerarios planes, mediré mi ingenio con el de mis enemigos y fortaleceré mis músculos para librar un buen combate y descargar fuertes golpes. Esta es la trama de mis pensamientos cuando, con una escopeta o una vara en la mano, paseo por el bosque a la orilla del río. Ignoro si mi ilusión se convertirá en realidad, y aún más si el escenario donde, llevado por el recuerdo, sitúo mis nuevas hazañas será el verdadero, pues me encanta volver a verme en las bulliciosas calles de Strelsau, o bajo el imponente torreón del castillo de Zenda.

Guiados de este modo, mis pensamientos dejan el futuro y vuelven al pasado. Una larga sucesión de imágenes desfila ante mí: la primera juerga con el rey, el ataque con mi útil mesa de té, la noche en el foso, la persecución en el bosque, mis amigos y enemigos, las personas que llegaron a quererme y respetarme, los hombres temerarios que intentaron matarme. Y, entre estos últimos, destaca el único de ellos que aún está con vida, aunque no sé dónde, y que sigue planeando atrocidades (no me cabe ninguna duda al respecto), así como despertando la ternura en el corazón de las mujeres, y el temor y el odio en el de los hombres. ¿Dónde está el joven Rupert de Hentzau, el muchacho que estuvo a punto de vencerme? Cuando su nombre me viene a la memoria, noto que cierro los puños y la sangre fluye más de prisa por mis venas; el aviso del destino, el presentimiento, parece adquirir más fuerzas y precisión y susurrarme insistentemente al oído que aún tengo una cuenta pendiente con el joven Rupert; por lo tanto, me ejercito en las armas, e intento retrasar el día en que el vigor de la juventud me abandone.

Todos los años se produce un paréntesis en mi tranquila vida. Entonces voy a Dresde, y allí me encuentro con mi querido amigo y compañero, Fritz von Tarlenheim. La última vez también vino su hermosa esposa Helga y con ella un robusto y sonriente bebé. Fritz y yo pasamos una semana juntos, y me entero de todo lo que ocurre en Strelsau. Por la noche, mientras paseamos y fumamos, hablamos de Sapt y del rey, y a menudo del joven Rupert, y, ya entrada la madrugada, al fin hablamos de Flavia. Porque todos los años Fritz lleva consigo a Dresde una caja pequeña. En su interior hay una rosa roja, y en torno al tallo de la rosa hay un trozo de papel con las palabras— «Rudolf - Flavia - siempre.» Y yo le envío lo mismo a través de él. Este mensaje, así como los anillos que llevamos son todo lo que ahora nos une a mí y a la reina de Ruritania. Porque, en su nobleza, ha cumplido el deber que su patria y su casa le imponían, y es la esposa del rey, al que une con sus súbditos por el amor que le profesan, a la vez que da paz y tranquilidad a miles de personas con su abnegación. Hay momentos en que no me atrevo a pensarlo, pero hay otros en que me elevo en espíritu hasta donde se encuentra, y entonces puedo dar gracias a Dios por amar a la dama más noble del mundo, la más bella y bondadosa, y porque mi amor no haya sido causa de que faltara a su sublime deber.

¿Volveré a ver su rostro alguna vez, su pálido rostro y espléndido cabello? Eso no lo sé; el destino me lo oculta y mi corazón no lo presiente. No lo sé. En este mundo, quizá (posiblemente) no. Y, ¿puede ser que en algún lugar, de un modo inasequible para nuestras mentes humanas, ella y yo volvamos a estar juntos, sin que nada se interponga entre nosotros, nada que prohíba nuestro amor? Eso no lo sé, y tampoco lo saben mentes más preclaras que la mía. Pero si nunca puedo volver a sostener una dulce conversación con ella, o mirar su rostro, o saber de su amor por ella misma, entonces, a este lado de la tumba, viviré como corresponde al hombre a quien ella ama, y al otro, rogaré por un descanso sin sueños.

# INDICE